꼭꼭 숨기

꼭꼭 숨기

발행	2024년 02월 08일
저자	尹中一 외
펴낸이	한건희
펴낸곳	주식회사 부크크
출판사등록	2014. 07. 15(제2014-16호)
주소	서울특별시 금천구 가산디지털1로 119 A동 305호
전화	1670-8316
E-mail	info@bookk.co.kr
ISBN	979-11-410-7053-3

www.bookk.co.kr

몽촌수필문학회 동인지 3호

꼭꼭
숨기

BOOKK

불안한 세계정세

우리나라와 북한은 올해 휴전 71년차가 되었다. 말이 휴전이지 언제 다시 터질지 모르는 살얼음판을 걷고 있다. 북한은 그동안 소형핵무기를 로켓에 장착하는 기술을 완성하고 장거리 유도탄으로 핵공격 무장을 마친 상태다. 우리는 국제법에 따라 핵무장을 하지 못하고 있었다. 만약 지금 전쟁이 벌어지면 한국과 북한은 핵무기를 보유한 북한의 일방적인 승리로 끝날 것이다. 그리하여 동맹국인 미국의 핵 전함을 우리나라 인근에 배치하는 지경에 이르렀다. 한미일 3국은 똘똘 뭉쳐 북한에 대응하기로 준비를 마친 상태다. 만에 하나 지금 전쟁이 벌어지면 양국의 피해는 엄청나겠지만 북한정권은 종말을 맞을 게 뻔하다. 북한을 우리나라가 흡수한다면 북한 인구 2500만 명을 더하여 그야말로 튼튼한 안보 국가 대한민국이 될 것이지만 그게 그리 꿈같은 애기만은 아니다. 북한은 경제개발 제로의 후진국이라 몇 십년 동안 우리가 부담을 안고 개발해야 하기 때문이다. 우리나라 경제는 그만큼 구차하고 쪼들리는 생활을 감수해야만 한다.

러시아가 우크라이나를 침공한 때가 2022년 2월 24일이다. 한달 남짓 있으면 전쟁 발발 만 2년이 된다. 전력으로 비교하자면 러시아가 몇 곱절 우위에 있어 러시아가 3개월 내 합병하리라 장담하고 치른 전쟁이 2년 동안 계속되고 있다. 러시아의 명백한 오판이다. 러시아는 자국 무기가 부족해 북한 무기를 수입하여 우크라이나를 포격하고 있음을 미국 정부가 확인했다. 국제법 위반이다. 거기다 중동에서 하마스가 이스라엘을 침공하여 전쟁이 일어난 게 2023년 10월 7일이다. 불과 석 달 만에 우크라이나와 러시아 전쟁의 사망자 수를 넘어선 상태다. 이스라엘과 하마스의 분쟁은 오래된 민족과 종교적 갈등으로 쉽게 해결될 성질의 것이 아니다. 세계에서 전쟁을 치르는 곳이 우크라이나와 러시아, 이스라엘과 가자지구 하마스다. 두 곳에서 벌어지고 있는 전쟁의 피해는 이만저만이 아니다. 우리나라는 전쟁 국가가 아니면서도 가장 위험을 안고 대치하는 휴전상태의 긴박한 상황이다. 전쟁만은 피해야 한다. 전쟁이 나면 핵무기를 사용할 것이 불을 보듯 뻔한 북한 정권이라 그 피해는 멸종에 가깝기 때문이다.

그동안 뼈를 깎는 고통으로 일군 선진국 반열에 올라선 대한민국이 한순간에 허물어져서는 안 된다. 이 땅에서 두 번 다시 전쟁은 없어야 한다.

그런 불상사로 인하여 우리 夢村수필문학회 동인지 발행이 멈춰질지도 모른다 생각하니, 어수선한 정세 속에 발간되는 세 번째 동인지 <꼭꼭 숨기>가 더욱 소중해진다.

2024년 2월
夢村수필문학회
회장 尹 中 一

/차례/

사진은 여행을 동반한다. 지구 끝이라도 가서 눈으로 보고서야 얻게 되는, 발로 찍는 것. 학의 날개를 사서라도 가서 다시 느껴보고 싶은, 벅찬 감격이고 삶에 의욕을 불어넣는 에너지원이다. 이제는 생각마저 억누르고 잠재워야 한다. 그 모두는 꿈길에서나 바라볼 그리움으로 남았다.

-발로 찍는 사진-

맑은 어항 속에도 조금씩 물때가 끼어 부유물이 생기는 것처럼 내 안에도 얼마나 많은 부유물이 가라앉았을까. 어항을 흔들듯 나를 흔들어 깨우면 그 부유물들은 바닥에서 일어나 둥둥 뜨겠지. 수많은 스쳐간 것들이 지금의 나를 만들었을 테니, 그 결정체가 모여 여기 작은 나는 서 있는 거구나,

-내가 되는 꿈-

발로 찍는 사진

윤중일

누구라도 살아서 꼭 해보고 싶은 소원 몇 가지는 있지 싶다. 나는 그림 그리는 재주가 없다. 아무리 기를 써도 채워지지 않는 것 노력해도 못할 일이 그림이다.

가곡교실에서 알게 된 조정숙趙貞淑 화가는 존경하지 않을 수 없었다. 예술의전당에서 세 차례 전시회를 가졌던 그녀는 우리나라 팝아트계 선두주자면서 반추상계열의 서양화가로 잘 알려진 중견작가다. 그녀의 전시회는 중앙일간지가 다투어 보도하고 더러 TV에도 나올 정도다.

피겨스케이트 선수는 공중도약에서 네 바퀴를 돌면서 최소한 세 차례 넘어지지 않아야 하는 게 관건이다. 역사상 네 바퀴 반(쿼터라플 악셀)을 돈 선수는 아직 없다. 언젠가는 쿼터라플 악셀, 다섯 바퀴(퀸트플) 회전하는 선수가 나오겠지만, 그것은 인간의 한계를 뛰어넘는 도전이라 피나는 연습을 게을리 않아야 한다. 그런데 화가도 단 하루 드로잉을 멈추는 날이 없다는 걸 알고부터 나는 그녀에게 빠졌다. 사시사철 쉬어본 적 없다는 그녀는 하루 세 시간씩 누드모델을 그려대는, 이해할 수 없는 여자였다. 한 모델을 두고 세 시간씩 그려야 할 이유가 대체 무엇인가. 궁금증은 곧 해소되었다. 그녀는 누드 못지않게 고목古木

에 대한 남다른 애정을 가졌었다. 내게 부탁하기로 우리나라 곳곳에 숨겨진 오백 년 이상 된 고목에 대한 주소지였다. 아니라도 나는 수십 년 동안 전국을 헤집고 다니면서 보이는 대로 고목을 적어 뒀었다. 수령 1,100년의 양평 용문사 은행나무를 위시하여 서른 곳 정도 추려 위치와 나이 수종을 적어 내밀었더니, 그녀의 반응은 뜨거웠다. 우선 가까운 곳부터 경기도 광주시 향교에 있는 5백 년 은행나무를 찾아갔다. 눈빛부터 달라진다. 어른 둘이서도 안을 수 없는 늠름한 고목을 천천히 한 바퀴 돌아보더니 한 자리에서 걸음을 멈춘다. 10초에 한 장씩 한 시간 정도 그리는데 같은 그림이 하나도 없다. 움직임도 없는 대상을 보면서 그린 수백 장이 어느 하나도 같은 그림이 없다는 게 도무지 믿을 수 없었다.

그림을 못 그려서 불만이던 내게 불현듯 밀려오던 생각이 사진이었다. 사진을 찍어야겠다는 결심이 섰다. 셋방살이를 못 면하면서 독일제 2안 리프 36밀리 Leica M5 카메라를 산 게 삼십 대 초반이던 1974년이었다. 그러고는 욕을 바가지로 얻어먹었다. 미친놈 소리에 배가 불렀다. 욕을 먹고도 남을 짓거리였다. 그건 카메라 값이 당시로는 집 반 채 값인 150만 원이나 줬기 때문이다. 아내는 이혼 애기를 꺼냈지만 나는 좋아서 밤에 잠도 오지 않았다. 어디라도 가면 그곳에 명장면이 숨어 있을 것만 같은 막연한 기대감은 날마다 뛰쳐나가도록 부추기는 촉매제와 같았다.

화가는 빈 곳을 채워나가는 작업이지만, 사진가에게 풍경은 있는 것을 빼고 추려 간소화시키는 게 관건이다. 자연경관은 너무 복잡해 주제를 살리고 싶어도 빼버리고 지워야 할 것들이 많아 작품이 어렵다.

중국을 경유하여 백두산을 일곱 번 올랐다. 오십 대만 해도 아무렇지 않게 그냥 올랐다. 육십 대까지도 그냥저냥 무리 없이 오르고 내렸다. 장백폭포에서 천지 물가까지 내려가는 50도 칼바위 경사진 길은 풀 한 포기 없는 암석뿐이다. 가재처럼 옆으로 기어 미끄러지고 자빠지며 두 시간을 내려간다. 소형카메라와 렌즈 두 개 그리고 중형카메라와 기타 장비만도 배낭 한가득이다. 삼각대는 한 손에 지팡이 삼아 짚고 청석 제멋대로인 길을 벗어나면 야생화가 바람에 흔들리는 평지다. 7월 중순인데도 패딩점퍼가 제격일 만큼 바람이 차고 거세다. 천지 물가에 도착해서도 다시 두 시간을 더 걸어가야 한다. 암석이 제멋대로인, 길도 없는 길을 타고 넘어 흔들리며 간다. 드디어 앞이 확 트인한 지점에 이르러 마른 목을 축이고 나서 산 위로 오른다. 전경이 적당한 곳에 드디어 도착이다. 여장을 풀고 촬영 준비, 문제는 현장의 기상 상태다. 지상이 아무리 쾌청이어도 그곳은 해발 2,600m 산중이라 언제나 안개 속이다. 어쩌다 구름이 벗겨지면 찰나를 놓치지 않아야는데, 더러 비는 뿌려도 두세 시간 기다리는 동안 하늘이 열리지 않는다. 누구는 백두산을 스물다섯 번 올랐다고 하지만 그만큼 기상이 받쳐주지 않는 곳이 백두산 천지天池다.

2006년 7월, 여섯 번째 촬영에서 천우신조로 단 한 컷 흡족한 사진을 얻었다. 삼각대를 세우고 준비된 촬영 자세로 기다린지 두 시간 잠깐 구름이 벗겨지다 합쳐지기 반복되다가 눈 깜짝할 사이 벗겨졌나 싶다가 곧장 밀려든 안개는 앞을 분간조차 하

13

지 못하게 만든다. 산자락 위로 구름도 적당하고 물빛도 고운 장면이 언뜻 보인 것도 같은데 너무 찰나다. 아무도 순간을 낚아챈 사람이 없는 것 같다. 아니 못 잡았다. 나도 셔터를 눌렀는지 어쨌는지 긴가민가 싶었다. 이제껏 백두산을 여러 번 올랐어도 이거다 싶은 장면이 없었다. 그렇게 소발에 쥐 잡히듯 얼떨결에 잡힌 한 컷이 2019년 8월 <문학의집 서울>에서 30일간 전시를 마치고 백두산 천지 화면 200cm, 전체 크기 240cm의 대형액자를 그곳에 기증했다. 이사장께서 매우 흡족해하셨다. 흔쾌히 넉넉한 마음으로 회사하고서 현재 5년 차 강당 접수대 뒤쪽에 누구나 볼 수 있게 걸려 있다. 사진 인화비 40만원, 액자 제작비 백만 원, 순수 제작비만 140만 원이 들었다. 어디 내놓아도 당당한 백두산 천지 춘경春景은 그렇게 주어졌다. 이후 다시 백두산을 올랐다가 죽을 고생을 했다. 칠십 초반이었는데 더는 따라갈 수 없었다. 포기하고 야생화와 놀았다. 누군들 나이를 거역하겠는가. 사진은 유희나 놀이가 절대로 아니다. 사진은 발로 찍는다. 가서 현장에 닿아서야 주어지는, 천신만고 끝에 맺히는 젊을 때나 피울 수 있는 꽃이다.

튼튼한 다리로 전국 안 가본 곳이 없고, 해마다 한두 번씩은 해외에도 나갔다. 화려한 불빛보다 때 묻지 않은 자연일수록 좋지만 참 힘에 겹다. 인도령 라다크 히말라야 해발 4천m 고지 비포장 길을 열하루 동안, 매일 아침 비아그라 한 알씩 먹어가며 사륜구동차로 5천km를 달렸다. 일행 두 명은 고산증으로 3천m 아래로 내려가야 했지만 나는 아무렇지도 않았다. 무너질 듯 아찔한 낭떠러지 길, 야생마가 달리는 그 평원을 어찌 잊을까. 러시아 블라디보스토크에서 기차를 타고 사흘 밤낮 시베리아 끝없는 설원을 달리고 달렸다. 자작나무 숲을 지나 4천여km를 가서 다시 버스로 4시간을 더 달려 마침내 닿은 곳, 최대수심 1,600m, 최대강폭 70km, 길이 600km의 유장한 호수 바이칼은 세계 최대 담수호다. 두께 50cm 얼음을 기계로 뚫어 마신 물맛이며 영하 30도의 빙판을 3km나 걸어간 그 기고만장을 어찌 잊을까.

사진은 여행을 동반한다. 지구 끝이라도 가서 눈으로 보고서야 얻게 되는, 발로 찍는 것. 학의 날개를 사서라도 가서 다시 느껴보고 싶은, 벅찬 감격이고 삶에 의욕을 불어넣는 에너지원이다. 이제는 생각마저 억누르고 잠재워야 한다. 그 모두는 꿈길에서나 바라볼 그리움으로 남았다.

시인과 술 II

　보들레르가 '파리의 우물'이란 시집에서 "끊임없이 취해야 한다. 무엇에? 술이건 덕성이건 그대 좋을 대로 취해야 한다."라는 구절은 너무나 유명하다. 동서양을 막론하고 작가나 시인 혹은 화가들이 술에서 구한 것은 도취 상태, 황홀경, 의식의 해방이다. 상습적이건 간헐적이건 예술가들은 술에서 젊음과 쾌활한 낙천주의, 섬광같이 번쩍이며 내려오는 영감을 구했다.

　보들레르, 에드거 앨런 포. 제임스 조이스, 스콧 피츠제럴드, 딜런 토마스 같은 이들은 정도가 지나치게 술에 탐닉했다.

　우리나라 현존하는 시인 중에 최고의 술꾼을 꼽으라면 고은 시인일 것이다. 고은은 자타가 공인하는 술꾼이다. 그는 술이 거나하게 취하면 바가지를 엎어놓고 젓가락으로 장단을 맞추며 눈을 지그시 감고 염불을 왼다. 그 모습이 하도 진지하여 누가 봐도 스님인 것처럼 보였기에 감히 그 행동을 제지하지 못했다. 사실 고은은 1951년 군산 동국사에서 기승 혜초를 은사로 출가하여 일초一超라는 법명으로 10년 동안 승려로 지내기도 했다. 여기서 저 유명한 효봉스님을 만나 제자가 된다. 스님이 된 뒤에도 고은은 줄기차게 술을 마셨다고 고백했다. 1958년 조지훈과 서정주의 추천으로 시인이 된 그는 탈속한 뒤인 1963년 자살을 결심한다. 고은은 가방 속에 돌과 로프를 숨기고 제주행 배를 탔다가 술이 너무 취해 일어나보니 제주도에 도착했더라고 고백했다. 그리하여 제주도에서 4년을 살아버린다. 고은은 이상과 최남선을 비롯하여 유명한 시인들을 폄하하는 글을 썼다. 조지훈 박목월 박두진을 비롯하여 자기보다 유명했다는 시인들은 거의 모두 깔아뭉개는 글을 써 빈축을 샀다.

고은이 길을 가다 한번은 신문사 문화부 젊은 기자를 만났다. "자네 주머니 사정이 어떤가?" 하고 물었다. 주머니를 뒤지던 기자는 "이것뿐인데요." 하고 요샛말로 2만 원도 안 되는 돈을 내보였다. "그거면 됐어!" 하고 무교동 주막으로 들어갔다. 우선 찌개 한 냄비와 막걸리 한 주전자를 시켰다. 벌써 1만원을 초과하였다. 찌개가 밑바닥을 보일 즈음 김치와 남은 안주를 냄비에 쏟아 넣고 물을 한 냄비 부어 또 끓였다. 그리고 막걸리를 시키며 늦게까지 버텼다. 기자는 주모 보기가 좀 민망했다고 고백했다.

작고한 시인 중에는 박재삼과 박용래다. 박재삼은 술을 가리지 않고 마시며 술에 취하면 환한 미소로 사랑과 추억을 이야기하고 옛 노래도 구성지게 불렀다. 고량주를 즐겼던 박용래는 술을 음미하듯 조금씩 마시며 하염없이 울기만 했다. 그의 마음은 너무 순수해서 술 취한 사람의 진정성은 박용래를 두고 이르는 말이라 전해진다.

술에 취해 귀가하던 중 질주하던 차량에 받쳐 목숨을 잃은 김수영과 채광석 시인은 사고였지만 그들의 죽음이 술 탓으로 돌려버리기엔 문제가 있다. 그들이 술을 지배했을지언정 술이 그들을 지배했다고 볼 수 없기 때문이다. 또 한 사람, 술로 인한

윤중일

불의의 사고였지만 1979년 임홍재 시인의 죽음은 시적詩的이라고 할 만하다. 술에 취해 노래를 흥얼거리며 청량리 둑방길을 걷다가 마치 무엇엔가 홀리기라도 하듯 둑방 아래로 굴러떨어져 그대로 숨을 거두었다. 목격자들의 말로는 새가 날아가는 것 같기도 했고, 꽃잎이 떨어지는 것 같기도 했다고 전한다. 술에 취해 강물에 비친 달을 잡으려고 강물에 뛰어들어 세상을 떠난 당나라 시인 이백을 연상케 한다. 임홍재는 평소에는 말이 없고 표정에도 변화가 없이 조용했지만 술만 마셨다 하면 열정적으로 변하는 체질이었다. 그래서 술자리에서는 늘 그가 좌중을 주도했다. 시에 대한 열정도 대단해서 술을 마시다가도 시상이 떠오르면 메모지에다 끼적이는 버릇도 있었다. 어쩌면 그가 죽기 직전에도 영혼을 불사를만한 어떤 시혼에 휩싸여 있지는 않았을까 생각하게 한다.

술 때문에 죽은 시인이라면 우선 박정만을 꼽겠다. 한수산 소설가의 중앙일보 1981년 5월 연재소설 《욕망의 거리》필화사건에 연루되어 신문사 편집부장 등 한수산과 더불어 6명이 보안사에 끌려갔다. 소설 내용이 전두환을 비꼬는 내용으로 비쳤다. 한수산은 혹독한 고문에 친구이던 박정만을 댔다. 출판사 편집부장을 지내던 박정만은 시를 벗 삼던 조용한 사람이었는데 보안사에서 풀려난 뒤 고문 후유증을 견디다 못해 몇 년 만에 죽었다. 그의 나이 42세였다.

정읍 출신 1946년생인 박정만이 서른 중반일 때 술집에서 노래를 불렀다. 정훈희의 '꽃밭에서'였다. 이십 대 초반이던 장석주는 대선배 시인의 가창력에 놀라고 이제껏 그 노래도 몰랐던 자신이 부끄러웠다고 고백했다. 박정만은 1985년 한 해 동안 1

천 병의 소주를 마셨다. 밥 대신 술로 살았던 그는 죽기 직전 이런 글을 썼다. "나는 단언하거니와 술이 인간에게 주는 최고 의 가치를 안다. 누룩으로부터 발효된 술이 인간을 자연화, 식 물화하고 하나의 풀잎으로 변화시킨다는 것, 그래서 눈물 날 정 도로 아름답고 포근한 우리들의 평화, 또는 자유, 사랑을 알게 한다. 머지않아 술은 나를 죽음으로 인도해 줄 것이다." "형님, 사람이 아무것도 먹지 않고 오직 술만 마시고도 살 수 있다는 사실이 너무 놀랍고 신기해요. 한데 더욱 이상한 것은 술만 마 셨다 하면 시가 마치 폭포처럼 쏟아져 나오더라는 것이어요." 라고 말했다. 그 무렵 기형도가 중앙일보에 쓴 박정만에 대한 기사를 보면 무더위가 한창이던 20여 일 동안 하루 다섯 병씩 소주만 1백 병 이상을 마시며 무려 3백여 편의 시를 썼다고 적 었다. 박정만에게 술이란 육체의 고통을 다스리며 시를 나오게 하는 어떤 묘약 같은 것이었는지도 모를 일이다.

박정만이 죽은 지 약 5개월 지난 늦겨울의 어느 새벽 낙원동 의 허름한 극장에서 숨진 채 발견된 기형도는 술 체질이 아니었 다. 맥주 한 병쯤이 정량이었지만 기형도 역시 술만 마셨다 하 면 얼굴이 밝아지고 말이 많아졌다. 노래를 권하면 서슴없이 뛰 어난 솜씨로 노래를 불러재끼고는 했다. 경제적인 술꾼이었다고 나 할까. 남보다 적은 술로도 열 배의 효과를 냈다.

1960년대 이후만 하더라도 조지훈 김관식을 비롯 천상병 조태 일 김광협 같은 시인들도 모두 술 때문에 수壽를 다하지 못했 다. 주성酒聖으로 통하던 조지훈은 너무나 잘 알려진 <승무>의 시인이다. 술꾼의 단수段數를 바둑처럼 18단계로 나누어 내로라

윤중일

하는 술꾼들을 한 사람, 한 사람 급을 매겼다. 주량으로 따지면 누구도 대적하지 못할 김관식 시인에게 따귀를 올려붙이며 '3단'을 부여했던 것도 김 시인의 고약한 술버릇이 주도에 어긋난다고 보았기 때문이다. 술만 마셨다 하면 대선배에게도 '군' '자네'의 호칭을 마구 썼던 김관식은 조 시인 앞에서는 머리를 조아리고 그의 일갈을 경청했다. 37세에 요절한 김관식은 주량으로는 말할 것도 없고 주성을 알아보는 실력만으로도 3단은 약했다 해야겠다. 김관식은 시를 1천 편 암송했고 한시漢詩에도 능한 천재였다. 조만식은 유일하게 십 대인 김관식을 알아보고 제자로 들였다. 김관식이 스무 살 때 시인으로 추천을 받기 위해 서정주를 찾아뵈었다. 거기서 자기보다 네 살이나 많은 처녀를 보고(서정주 처제) 한눈에 반했다. 사귀자고 했으나 못생긴 김관식을 보고 끝끝내 거절하자 나를 만나지 않으면 죽어버리겠다 협박까지 했다. 그리하여 결혼에 성공한다. 서정주는 김관식을 시인으로 추천했다.

술에 취하면 자신보다 각각 19, 21년 연상인 서정주와 김동리를 '서 군', '김 군'이라고 외치던 김관식과 더불어, 허무를 견디지 못해 바닷물에 빠져 죽으려고 허리에 돌멩이까지 두르고 제주행 배를 탔지만 자신이 좋아하는 술이나 실컷 먹고 죽자며 술을 마시다 취해버리는 바람에 죽을 기회를 잃어버리고 제주도에 닿아 뜻하지 않게 살아버린 고은과 더불어 바보시인 천상병을 사람들은 한국 문단의 3대 기인이라고 불렀다.

조지훈은 낙주종생(樂酒終生 술로 인해 죽은 사람)한 사람에게 최고 단수인 9단을 부여했는데, 시인들 가운데는 그런 사람이 유별나게 많다.

직장의 책상 서랍에 항상 술병을 넣어두고 일을 하다가도 수시로 꺼내 마셨던 김광협 시인. 그가 죽었을 때 바커스 주신酒神이 심심해서 불러갔을 것이라 했다. 밤낮을 가리지 않고 술을 즐겼던 조태일 시인. 그리고 길거리에서 아는 사람을 만나기만 하면 막걸리 한 되 값을 빼앗다시피 받아내 돈을 손에 쥐기 바쁘게 술집으로 달려가곤 했던 천상병 시인, 만약 조지훈 시인이 생존해 있다면 당연히 그들에게 9단을 주었을 것이다. 특히 조태일은 생전에 '나는 천상병에게 술을 얻어 마신 유일한 사람'이라고 자랑하곤 했다. 어쩌면 조태일이 천상병보다 단수가 높다고 봐야 할는지. 시인 가운데서 술꾼을 꼽으려면 얼마든지 있다. 시인들은 유별나게 술과 보이지 않는 끈으로 단단하게 연결돼 있지 않나 싶다. 이와 관련된 재미있는 통계도 있다. 오래전에 어느 잡지에서 각계 명사들에게 역사상 주선酒仙으로 꼽을 만한 술꾼들을 추천해 달라고 해서 통계로 낸 적이 있었다. 그 결과 10위 안에 든 사람들 대부분이 시인이었다.

1위가 기생 황진이, 2위가 변영로, 3위가 조지훈, 4위 김삿갓, 5위 김시습, 6위 임제, 7위가 김동리로 모두 시인이거나 시를 썼던 사람들이었다(이밖에 임꺽정, 대원군, 원효대사가 각각 8, 9, 10위를 차지했다)

시가 쓰고 싶어 관련된 책을 사 읽기는 오래전이다. 책을 읽는다고 다 시인이 되랴. 어림없는 소리다. 문학 중에 가장 어려운 장르가 시 부문이다. 내가 시를 써보고 싶다고 하니, 하던 수필이나 제대로 하라고 핀잔을 준 이가 대구의 구활 수필가다. 그만큼 시가 어렵다는 말이겠다. 7,8년 전부터 학원을 기웃거렸지만 시에 대한 정의는 어려웠다. 우선 내 맘에 드는 시가 써지질 않았다. 고민이었다. 중도에 포기할까 생각도 해 봤지만 시에 대한 미련을 떨쳐내기도 쉽지 않았다. 그만큼 시가 목말랐던 거다.

시는 사실 선천적으로 타고난다고 생각한다. 역사적으로 천재성을 띤 시인들은 십 대부터 그 면모를 과시한 경우가 많았다. 그런 면에서 나이 칠십 대에 시에 대한 고민을 한다는 자체가 너무 늦었다고 생각되었다. 그래도 시를 쓰고 싶어 두 군데 시 교실에서 몇 년간 시 공부를 했지만 별로 마음에 와 닿질 않았다. 수강 중에 주 1회씩 시를 써내야 하는데 나는 한 번도 시를 써내지 못했다. 우선 내 맘에 드는 시가 안 써졌기 때문이다.

이제는 시를 포기해야겠다고 결심하기에 이르렀을 때 선배 시인이 한 번 가 보자며 이끄는 시 교실이 있었다. 10명 안팎의 소수정예 교실로 시의 핵심을 잘 일깨워 주는 수업 방식과 그 선생은 나와 잘 맞았다. 그리고 무엇보다 많은 시집을 읽어야 함은 필수조건이다. 김관식 시인은 한시 1천 편을, 김근배 시인은 현대시 500편을 암송한다고 한다. 유명한 시인들이 가졌던 시에 대한 열망에 비교하자면 턱도 없이 부족했지만, 나도 시가 써지기 시작했고, 시인으로 등단한 지 5년째다.

나는 젊어서도 소주 두 병 이상 마셔본 적이 없다. 그러니 애초부터 시인이 될 자격 미달이었는지도 모르겠다. 소주 다섯 병을 한 철 내내 마셔야 시가 봇물처럼 쏟아져 나온다면 살아내지도 못할 일이다. 정신이 혼미한 상태에서 시가 물처럼 솟아난다면 나는 시를 제대로 쓰기는 애초 틀린 몸이다. 그래도 꿈은, 제대로 써진 시집 한 권 내고만 싶은 게 남은 생 소원이다.

내가 되는 꿈

이강순

일찍 자려고 누웠다가 세탁기 안에 빨래가 있다는 걸 기억했다. 너무나 피곤하고 졸린데 기어이 일어난다. 졸림을 참아내고 해야만 하는 일이었기에. 내일로 미루면 빨래는 여름 열기에 곰팡내가 날 것이기에. 빨래를 널고 물 한 잔을 마시고 나니 내 안에 가라앉은 기운이 눈곱만큼 깨어나 나는 다시 책상에 앉을 수 있었다. 이까짓 게 뭐라고, 뭔가 끼적이는 것으로 무슨 영화를 보겠다고 매일 무언가를 쓴다는 것에 목숨(?)을 거는 것인지.

매일 습관처럼 새벽예배에 간다. 알람이 울리면 끌어당기는 침대를 뿌리치고 기어이 일어나 현관문을 나선다. 몸이 수천 미터 수렁으로 가라앉을 것만 같은 날에도 차키를 들고 나서면 지금 내가 이 책상에 앉은 기운만큼이나 힘이 생긴다. 그 작은 겨자씨만한 기운으로 버티면 또 조금씩 힘이 더해지고 나는 새벽예배를 마치고 집으로 돌아온다. 그 시간이 7시쯤 된다. 어느 날엔 앉아있는 것조차 힘이 들어 그대로 옆으로 누워버린 적도 있다. 그래, 내 중심을 아시니까. 내가 기어이 이 예배당에 나와 앉았다는 게 어디냐고.

어디에도 어떤 곳에서도 주
내 중심을 이미 아시니
내가 있는 이 새벽 바다 끝에
주도 계신 줄 압니다
나의 마음과 묵상들을 아시니
나를 불쌍히 여기소서
시간이 나를 여기쯤
새벽 바다 끝으로
고단한 날갯짓으로 세운
그 밤을 주었지만
잠잠히 생각해 보면
주가 함께 계심을 알기에
난 오늘도 이 바다를
노래할 수 있어요

　나의 시편, 이라는 복음송 가사이다. 종일 이 노래를 읊조린다. 시간이 나를 여기쯤 데려다 놓을 때까지 나는 무엇이었는지, 맑은 어항 속에도 조금씩 물때가 끼어 부유물이 생기는 것처럼 내 안에도 얼마나 많은 부유물이 가라앉았을까. 어항을 흔들듯 나를 흔들어 깨우면 그 부유물들은 바닥에서 일어나 둥둥 뜨겠지. 수많은 스쳐간 것들이 지금의 나를 만들었을 테니, 그 결정체가 모여 여기 작은 나는 서 있는 거구나, 그것들을 낱낱이 들여다볼 수 있는 순간들이 오면 한 사람의 생은 이토록 아름다운 것이구나 싶은 것이다. 삶이 훌륭해서가 아니라 내가 여기까지 온 시간이 그렇다는 거다.

오랜 시간 밀폐되었던 병뚜껑을 비틀어 열면 훅 냄새가 끼치는 것처럼 그 시절 그 공간에 밴 공기가 훅 들이치는 순간이 있다. 내가 이런 사람이었구나, 그런 때도 있었구나 싶은 것. 절벽 같은 세상에 비집고 서서 나는 무얼 기대하며 파란 같은 날들을 건너 여기까지 온 것인지. 아내가 되었고, 엄마가 되었고, 아직 오지 않은 나를 할머니라 부를 그 아이들…. 그런 일들에 대해 요즘 자주 생각한다.

"과거가 지나가고 사라지는 게 아니라 차오르고 새어나오는 거란 생각이 들었다. 살면서 나를 지나간 사람, 내가 경험한 시간, 감내한 감정들이 지금 내 눈빛에 관여하고 인상에 참여한다는 느낌을 받았다. 그것은 결코 사라지지 않고 표정의 양식으로, 분위기의 형태로 남아 내장 깊숙한 곳에서 공기처럼 배어나왔다."(김애란, 바깥은 여름) 익숙하고도 낯선 감각으로. 그러니 과거는 현재에 있고 현재는 오지 않은 이토록 평범한 미래에 있는 것.

"자려고 누워서 생각의 꼬리를 물다가 문득 생각 든 게 어릴 때부터 항상 존재만으로도 든든하고 자랑스럽고 힘이 됐던 엄마 아빠, 엄마아빠가 늘 건강하고 행복만 했음 좋겠어. 힘든 일 힘든 생각 없이. 사랑해요 언제나 늘 평생"

엄마의 그 무엇과 맞닿았던 걸까. 그 밤에 톡 올라온 문자메시지의 주인은 큰딸이었다. 요즘 나는 혼자다. 아이들은 독립했고, 주말부부가 되었다. 누군가 그랬다. 5−60대는 20대와 닮아

이경순

있다고. 그 말뜻은 자유롭게 자신을 가꾸며 꿈꾸는 나이라는 의미겠지. 내가 되는 꿈을 꿀 수 있는 절호의 기회. 그러나 늦은 밤 혼자 누울 때면 문득문득 낯선 공허가 비집고 들어선다. 어느새 시간은 나를 여기에 데려다 놓았구나 싶은 것. 남은 날은 어떻게 살아야 하지. 자식에게 폐 끼치는 노인은 되지 말아야지. 이러한 생각들이 안개처럼 습도처럼 몸 구석구석을 점령한다. 그러니 여전히 젊은 채로 '늙음'을 맞닥뜨린 초보 노인은 기어이 새벽예배에 나가는 수밖에. 주님의 깊은 호흡으로 호흡하고 주님의 말씀으로 나를 관찰하고 주님의 눈으로 세상을 바라보고 주님의 마음으로 시대를 읽는 새로운 존재적 시간을 갖고 싶은 것. 그러다 보면 말씀에 힘입어 나를 정립하고 나를 확장하고 성숙의 과정으로 나아가지 않을까 하는 기대감이 생기는 것이다. 나를 위한 기도보다 누군가를 위한 기도에 더 마음을 빼앗겨도 좋을 그런 때. 지금 내가 되는 꿈은 바로 그런 것들.

*제목 '내가 되는 꿈'은 최진영 소설 제목 차용함.

미래를 기억해

'세상에'

　30여 년 전의 책이었다. 누렇게 색이 바랜, 시간의 더께가 내려앉은 책에는 밑줄 그은 연필 자국과 끄적여놓은 어떤 말들이 잠자고 있었다. 그 책 속에 살고 있는 그때의 시간 그때의 생각들. 까마득히 잊힌 한 날이 훅 스미는데 혼선이 왔다. 순간 그때의 나도 낯설고 지금의 나도 낯설었다. 그때 읽은 그때 느낀 그때 보았던 것들을 재생하는 시간이 문득 행복했다. 우리 그때 이랬구나.

　예정일을 일주일 남겨두고 나는 시집을 읽고 있었다. 87년 8월 21일 동아서림에서 구매한 김초혜 시인의 <섬>을 92년 6월 25일 다시 읽으며 끄적인 메모였다. 이 낯선 그리움이 울컥 반가웠다.

　한몸이었다/ 서로 갈려/ 다른 몸 되었는데// 주고 아프게/ 받고 모자라게/ 나뉠 줄/ 어이 알았으리// 쓴 것만 알아/ 쓴 줄 모르는 어머니/ 단 것만 익혀/ 단 줄 모르는 자식// 처음대로/ 한 몸으로 돌아가/ 서로 바꾸어/ 태어나면 어떠하리.
　　　　　　　　　　　－김초혜 시 '어머니 1' 전문－

이경순

<섬>에는 어머니 연작시 15편도 수록되어 있었다. 예정일을 앞두고 읽은 시가 '어머니'라니! 어머니가 된다는 그 거대한 이름 앞에서 오래 생각에 잠겼을 어린 산모를 생각했다. 나를 낳은 어머니와 나를 어머니라 부를 아가를 생각하며 생명을 잉태하고 낳는, 거룩한 모체와 생명체에 대한 경외의 순간을 묵상하고 있었던 것 같았다.

시집 빈 공간에 끼적여놓은 상념들. 그것을 매개로 다시 기억을 더듬는 일. 오래된 흔적은 파스텔이 번진 것처럼 흐릿해져 있지만 그 기억을 꿰맞추는 일은 일어난 일과 일어나지 않은 일을 구별하는 일이었다. 내게 그런 때가 있었구나, 그때의 체취가 묻어있는 책을 어루만지는 것은 과거를 다시 사는 것이고, 현재와 미래를 재편성하는 일이기도 했다. 기어이 그때의 일기장을 찾아낸 이유이다.

"큰언니가 아침부터 전활했다. 무조건 많이 먹으라고 난리다. 밥맛이 없다. 예정일은 일주일 남았는데... 설레기도 무섭기도 하다. 아랫배가 이따금 찌르는 듯 아프다."
"밤 10시가 다 됐는데 자두가 먹고 싶다. 출산하면 신 거 못먹는다는데 지금 사달라고 떼를 써 밤중에 같이 가서 자두를 사왔다. 15개에 천 원. 5개나 먹었다."
"그는 회사 신우회에서 오산리기도원에 갔다. 토요일 오후인데... 그러나 기도 많이 하고 오라고 말해줬다."

자두 다섯 개를 먹은 날은 예정일 전날 밤이었던 것. 천 원에

열다섯 개라고 굳이 표기한 걸 보니 아마 떨이였던가 보다. 토요일 오후 회사 신우회랑 기도원에 간 남편의 시간. 나는 내색 않고 보냈지만 글의 행간에는 서운함이 가득 서려 있었다. 해가 뜨고 바람이 부는 일처럼 사소한 일상이 특별해진 이유는 과거에 내게 생긴 일이기 때문이다. 기억의 쓸모는 무한히 확장되기 때문이다.

김연수 작가는 그의 소설 <이토록 평범한 미래>에서 우리가 기억해야 하는 것은 과거가 아니라 오히려 미래라고 말한다. 앞으로 일어날 일들이 원인이 되어 현재의 일이 벌어진다고. 그건 현재의 삶에 미래를 덧입힌다는 것. 곧 미래를 기억할 때 나의 현재는 더 신중해진다는 의미로도 들린다. 그래서 용서는 과거가 아니라 미래를 기억할 때 가능해진다고 말하는 건지도 모르겠다. '우리가 계속 지는 한이 있더라도 선택해야만 하는 건 이토록 평범한 미래'라고. 미래를 기억한다는 것은 자신이 누구인지 묻지 않고 자신이 누구일 수 있는지 물으며 스스로를 변형시킨다는 말이기도 하다고 평론가는 말한다. 사실 '미래를 기억한다'는 것은 어울리지 않는 문장이다. 기억이라고 하는 것은 이미 일어난 일, 과거의 일을 말하는 것이지 일어나지도 않은 미래의 일을 기억한다,라고 말하지 않지 않는가. 즉 현재는 미래라는 역설인 것.

그때 태중에 있던 아이가 지금 태중에 또 다른 생명을 품고 있다. 내가 책을 읽고 일기를 쓰며 복중의 아이를 생각했던 것처럼 그 또한 그러한 자세를 살고 있을 것. 딸의 딸로 그 딸의 딸로 연이은 생명에의 길은 눈부시고도 경이로운 일인 것.

어제와 다를 바 없는 하루하루를 사는 동안 나는 어쩜 매일을 미래를 기억하며 살았는지도 모를 일이다. 그때 읽었던 책 그때 끼적였던 일기가 무의미하지 않았다는 것, 신우회 기도 성경 큐티,라는 어휘가 자주 등장했던 그의 이름에 장로라는 이름표가 새겨져있는 것처럼. 그러니 '과거가 지나가고 사라지는 게 아니라 차오르고 새어 나오는 거라는 것, 살면서 지나간 사람, 내가 경험한 시간, 감내한 감정들이 지금 내 눈빛에 관여하고 인상에 참여한다'는 현재는 미래라는 말과 상통한다는 의미인 것.

나는 오늘도 책에 밑줄을 긋고, 또 일기를 썼다. 첫서리가 내렸다고. 단감 10kg을 3만5천 원에 샀고, 곧 다섯 개를 깎아 먹었다고. 큰딸은 회사 창립기념일인 금요일 장태산에 가자고 톡을 보냈다고. 시어머님 요양원비 713,110원을 송금했다고. 1992년 일기장을 펼쳐 몇 대목 가족 톡에 올렸다고. 그리고 지금이 태중 아이를 위한 미래를 기억해야할 시간이라고, 나는 딸에게 잔소리 같은 한 마디를 남겼다고.

"우리가 지금 좋아서 읽는 이 책들은 현재의 책들이 아니라 미래의 책이다. 그러니까 지금 읽는 이 문장이 당신의 미래를 결정할 것이다. '아름다운 문장을 읽으면 당신은 어쩔 수 없이 아름다운 사람이 된다.'" ─신형철, 슬픔을 공부하는 슬픔─

미역국

국을 끓였어요. 가장 큰 냄비에 넘칠 정도로요. 국을 끓일 때 가장 많은 양을 잡는 것은 미역국이에요. 남편은 미역국을 좋아해요. 국만 좋아하는 것이 아니라 미역에 관한 한 다 좋아해요. 해운대 어머님 댁에 가면 그 형제들이 다 그래요. 결사적이에요. 좋아하는 것이 이 정도일 수 있구나 감탄 아니, 기함할 정도지요.

미역국을 먹지 않는다는 사람을 보았어요. 깜짝 놀랐죠. 한국 사람이면 미역국을 싫어하는 사람은 없을 거라 믿었던가 봐요. 내가 좋아하니 다들 좋아할 것이라 생각했던 것이죠. 반드시 좋아해야만 하는 것처럼 말이죠.

언젠가 열흘 남짓 집을 비웠던 때가 있었어요. 그때 하필 어머님이 물미역귀를 보냈던가 봐요. 양이 너무 많으니 남편은 생각 없이 누굴 나눠 줬겠죠. 그게 하필 그였어요. 미역국을 먹지 않는다는 그 사람이요. 미끌미끌해서 미역이 싫은데 유난히 더 미끌미끌한 물미역귀를 받았으니 당황했겠죠. 순간 물미역귀를 받아든 그 사람의 표정이 보이는 듯 했어요. 내가 좋아한다 해서 남도 좋아할 것이라 철석같이 믿고 주었을 텐데요. 특별보관이 필요한 미끌미끌한 미역귀를 받았으니 얼마나 난감했을까요. 싫어하는 차원이 아닌 먹지도 않는 것이었으니 쓰레기처리만 곤

여강순

란하게 만든 거잖아요. 속으로 투덜댔을지도요. 미역귀 특성을 잘 모르는 사람에게는 끈적끈적한 액이 나오는 미역귀가 혐오스러울 수도 있거든요. (저도 처음 그랬어요. 오랜 시행착오 끝에 미끌한 미역귀를 꼬들꼬들 말리는 법을 스스로 터득했지만요.) 그걸 준 사람은 아끼는, 좋아하는, 아까운 걸, 나눠 줬을 뿐인데 상대는 모를 것이니. 소름이 돋더군요. 나눔도 함부로 하면 안 된다는 것을요. 순간 뒷목이 뜨끈뜨끈 뻐근해졌어요.

"그거 알아요? 생각보다 미역국 먹는 나라가 별로 없는 거?"

농담처럼 미역국을 싫어하는 사람, 경멸해버릴까 보다, 속엣말을 블로그에 썼더니 지인이 그러더군요. 미역국을 먹는 나라가 별로 없다는 거 아느냐고요. 이십여 년 전이에요. 인도 캘커타와 나갈랜드 지방을 15일에 걸쳐 다녀온 적이 있어요. 여행이 아닌 선교 목적으로 갔던 촌락에서의 인도 음식은 도무지 먹을 자신이 없었어요. 기름이 둥둥 뜬 국물도 그렇거니와 비위생적이게 보이는 고기를 자꾸 건져주는데, 고역이었어요. 더욱이 손으로 식사를 하는 문화의 틈에서 그 시간은 너무 괴로웠거든요. 가장 즐거울 먹는 시간이 괴로울 수도 있다는 걸 그때 알았어요. 잘 먹는 그들을 보는 것조차 비위가 상했거든요. 내색하지 않으려 애쓰다 보니 더 힘들었던 것 같아요. 파인애플과 바나나로 느끼한 속을 다스리며 견뎠죠. 그때, 미역국을 끓여주신 분이 계셨어요. 인도인이었죠. 한국에 유학 와서 2년을 살다가 간 사람이었는데요. 기어이 우리를 초대해서 끓여내 준 것이 미역국이었어요. 한국에서 배운 서툰 솜씨로 끓여낸 미역국. 미역

냄새만 날 정도의 묘한 맛이었지만 그날 우리는 흰쌀밥을 말아 배불리 먹었어요. 미역국은 오랜 기간 인도음식에 느끼해진 속을 풀어주었거든요. 한국생활을 통해 미역국을 먹는 우리 정서를 읽어낸 것이겠지요. 미간에 새겨진 괴로움의 비밀도요. 그 마음을 이제야 문득 돌아보게 되었어요. 배려도 행간을 잘 읽어내야 하겠구나, 선이라 여기고 행했던 무례는 없었나, 돌아보게도 돼요.

우리는 모두 비슷한 갑남을녀이면서 각자 자기다움을 추구하며 살아가지요. 분명 같은 곳을 떠났는데 매번 다른 곳에 도착하고, 나의 파리와 너의 파리는 좀처럼 만나지지 않고요. 나의 보석은 너의 보석이 될 수 없고요. 그럼요. 나는 좋아하지만 그는 좋아하지 않는 정도가 아니라 아예 먹지 않는 음식일 수 있잖아요. 내겐 보석이지만 그에겐 쓰레기인 거잖아요. 우리는 같아서 안심하고 달라서 기대를 품기도 하죠. 달라서 너무 힘들기도 하지만, 같아서 너무 힘들 때도 있잖아요. 그 차이를 헤아리는 게 배움이고. 그 다름을 충돌 없이 표현하는 상태가 지성이라고요. 당사자가 '나는 불행하다'고 말한다 해서 타인이 아무 때나 '그는 불행하다'라고 말할 자격을 얻는 것은 아닌 것이니까요.

멋진 풍경을 바라보거나 맛있는 것을 먹을 때, 또는 예상치 않은 어떤 냄새나 소리에 취하게 될 때 숨통이 트이는 순간을 만날 때가 있어요. 더없이 소중하고 좋은 것들도 상대는 무용한 것들이라고 단정해버리는 경우도 있고요. 대서양의 막대한 영향력을 온몸으로 느끼며 살았던 크레이그 포스터 감독, 잘나가던 그가 위기의식을 느끼며 지친 몸을 이끌고 돌아간 곳은 유년이 넘실대던 웨스턴 케이프 바다였대요. 어린 시절 바위틈과 웅덩이 다시마 숲에서 다이빙을 하며 헤엄치고 놀았던 그곳, 자연으로의 회귀였다고 해요. 그로 인해 심신이 회복에 이르렀으며 수십 개의 조개껍질로 몸을 변장한 문어 한 마리를 만나면서 다큐영화 <나의 문어선생님> 제작에 이르게 된 것이죠.

미역국도 좋지만 맵싸한 겨울이 오면 물미역을 부지런히 사다 날라야 해요. 그가 미역을 좋아하는 건 어리던 날 바닷속을 유영하며 몸으로 맛보았던 바다 냄새에 있는 게 아닐는지 생각해 보았어요. 그건 단순히 양식만이 아닌 휴식에 이르는 길이 아니었을까요. 맛으로 느끼는 영혼에의 휴식 말이에요. 누구에게나 그런 것 하나쯤은 가지고 있겠지요. 서로 다른 그 무엇 말이에요.

이상하지,
살아 있다는 건,
참 아슬아슬하게 아름다운 일이란다.
－최승자 <20년 후에, 지에게> 중－

34

돌아오는 길에 눈물을 닦으며 하늘을 쳐다보니 별이 어찌나 촘촘하게 박혀있던지 곧 쏟아져 내릴 것만 같았다. 그렇게 한동안 서 있었다. 아름답다고 느끼는 순간 무서움이 확 밀려왔다. 그 무서움은 내가 혼자여서라기보다는 너무나 장엄하고 신비해서 보이지 않은 어떤 힘이 느껴지자 다가오는 무서움이었다. 소중한 것을 놓고 온 것만 같아 불안하고 허전했다. 그날 보았던 하늘과 적막한 고요함은 잊을 수 없다.

-별빛 찬란한 밤-

남들 눈엔 어떻든 나 스스로는 정말 대견하고 뿌듯한 날이다. 해냈다는 성취감, 할 수 있다는 자신감, 무엇이든 마음먹으면 잘할 수 있을 거라는 희망과 기대. 단순한 걷기 도전은 나한테 많은 걸 남겼다. 그래, 무엇이든 생각이 있으면 일단 해보는 거다. 해봐야 결과도 있는 법이니까. 스스로 어렵게만 느껴지던 것을 무사히 마쳤다는 건 두고두고 내게 큰 힘이 될 것이다. 자신과의 시험을 통과한 스스로를 칭찬하며 의기양양 말해 본다.

하쿠나 마타타!

-하쿠나 마타타-

별빛 찬란한 밤

김상남

친구들과 시골 한적한 곳에서 하룻밤 묵을 때가 있다. 오가는 차창 밖의 풍경과 차 안의 수다도 좋고 무공해 푸짐한 먹거리도 좋지만, 늦은 밤 돌계단에서 본 별무리들과 푸르디푸른 하늘빛은 오랫동안 여운으로 남는다.

중2 때쯤이나 되었을까.

엄마는 우리가 살던 집을 허물고 그 자리에 새집을 지었다. 현장에서 비교적 가까운 거리에 이모 집이 있어서, 우리는 잠시 그곳으로 거처를 옮겼다. 보통 임부들은 해 떨어질 때까지 일을 하므로 엄마의 귀가는 언제나 늦었다. 그날은 평소보다 더 늦도록 들어오지 않았다. 무섭기도 했지만 걱정이 되어서 그곳으로 갔다. 엄마는 바닥에 헌 문짝을 깔고 있었다. 알고 보니 건축자재가 많이 들어온 날이라 그곳에서 잠잘 궁리를 하고 있던 참이었다. 창고가 있는 것도 아니어서 자재들을 빈터 이곳저곳에 쌓아놓았던 터라 도둑맞을까 걱정되었던 거다. 그때는 돈도 귀하고 배고프던 시절이어서 헌 고무신도 도둑맞았다. 고무신 한 짝만 있어도 달콤한 엿을 제법 오랫동안 오물거릴 수 있었으니까. 하물며 건축자재는 얼마든지 엿과 바꿀 수 있고 현금화할 수 있는 것이어서, 엄마는 건축자재를 목숨처럼 지키려 했던 것이다. 도대체 아버지와 오빠는 그때 무엇을 하고 있었는지 기억이 나진 않지만, 엄마의 처사를 내가 이해했던 걸 보면 그럴만한 이유가 있었나 보다. 한참 후, 엄마는 내일 임부들이 새벽에 올 거니까 지금 자야 한다며 빨리 가라고 한다. 그럼 나도 엄마랑 자겠다고 했다가 야단만 된통 맞았다. 돌아오는 길에 눈물을 닦으며 하늘을 쳐다보니 별이 어찌나 촘촘하게 박혀있던지 곧 쏟아져 내릴 것만 같았다. 그렇게 한동안 서 있었다. 아름답다고 느끼는 순간 무서움이 확 밀려왔다. 그 무서움은 내가 혼자여서라기보다는 너무나 장엄하고 신비해서 보이지 않은 어떤 힘이 느껴지자 다가오는 무서움이었다. 소중한 것을 놓고 온 것만 같아 불안하고 허전했다. 그날 보았던 하늘과 적막한 고요함은 잊을 수 없다.

수업이 끝나면 보통 4시쯤 되었다. 자전거 타기가 붐이었다. 집에 가봐야 엄마도 없는데 나도 자전거나 타보자 싶었다. 그때는 나이 별로 자전거의 크기가 다양하지 못했던지 빌려온 자전거마다 페달이 발에 잘 닿지 않아 넘어지기 일쑤였다. 그렇지만 자전거를 타고 운동장을 크게 한 바퀴 돌고 있는 고등학교 선배 언니들의 모습은 여유 있고 멋져 보였다. 나도 저렇게 타봐야지 속으로 다짐했다.

그날은 곧바로 현장으로 갔지만 엄마가 보이지 않았다. 멀뚱하게 서 있는데 머리에 수건을 쓴 엄마가 헐레벌떡 돌아온다. 필요한 것이 생기면 임부들이 사러 가는 것이 아니라, 엄마가 사러 다녔다. 비싼 임금을 주는 임부들은 집 짓는 일만 하도록

하는 것이 엄마의 셈법이었다. 당신이 할 수 있는 일을 당신이 하는 만큼 공사는 앞으로 진행될 것이라 믿고, 최선을 다해 몸 공을 드렸던 거였다. 엄마는 지병 때문에 목에서는 가래가 끓었고 자금이 넉넉지 못하니 제대로 끼니나 챙기셨을까. "배고플 땐 가래도 삼키면 요기가 되더라." 무심히 하셨던 그 말씀이 지금도 가슴을 먹먹하게 한다.

나는 엄마에게 자전거를 배우고 싶다고 했다. 계집애가 자전거는 무슨 놈의 자전거냐고 야단을 칠 거라 생각했는데 반응은 완전히 달랐다. 여자라고 못할 게 뭐냐며 열심히 타라고 했다. 당신도 자전거를 배웠더라면 지금 담배며 막걸리며 못이며 신발이 닳도록 다니지 않고 얼마나 좋겠냐며 뭐든지 배울 수 있을 때 다 배워둬야 한다고 했다.

엄마는 환절기만 되면 어김없이 1년에 서너 달은 병석에 누워 지냈다. 내 병을 가지고 60 넘게 살았으면 많이 산 것이라 했지만, 그중에서 20여 년은 절박한 투병의 시간이었다. 그래서일까. 엄마는 건강한 시간을 절대 허투루 보내지 않았다. 공무원인 남편의 월급으로는 4남매 교육이 어렵다 판단하고 집장사를 했다. 집장사라고 해봐야 거창하게 한 것도 아니고 많이 한 것도 아니었다. 단지 두어 채 지어 판 후, 그 이익금과 그동안 근검절약하여 모은 돈으로 우리가 살 집을 지었던 것이다. 우리 집은 도로변 쪽으로 5칸 정도의 점포와 안쪽으로 살림집이 있는 구조였는데, 안집은 그 시절에는 보기 드문 양옥집이었다. 월세를 받아 우리를 서울로 유학시켰다.

김성남

몸뻬 바지에 머리에는 수건을 쓴 엄마!

천식에는 먼지가 상극인데, 집을 헐 때 풀풀 날리는 흙먼지를 수건 한 장으로 감당할 수밖에 없었던 우리 엄마!

건강하게 낳아주셨고 엄마보다 오래 살고 있지만, 나는 엄마처럼 뭐 하나 똑 부러지게 한 게 없다. 그저 별빛 찬란한 밤하늘을 볼 때면 엄마 생각에 잠기곤 한다.

자매 사이

오래만에 고향에 갔다. 내가 서울에 온 지는 벌써 20년이 넘었지만, 그때는 고향을 떠난 지 아마 5년쯤 되었을 것이다. 터미널에 내리자 친정 여동생이 기다리고 있다가 "언니, 여기야!" 큰 소리로 활짝 웃으며 손을 흔든다. 어쩜 그렇게 엄마 웃는 소리와 똑같을까. 친정집 안마당 평상 위에서 엄마가 부채로 모기를 쫓아주던, 웃음소리와는 상관도 없는 기억이 퍼뜩 스쳐 지나간다.

동생과 나는 같은 아파트 단지에서 살았다. 반찬을 해서 나누어 먹기도 하고, 아침 식사 후에는 늘 우리 집에서 커피타임을 즐겼다. 내 두 딸들은 우리의 이런 모습이 보기에 괜찮았던지, 지네들도 시집가면 엄마와 이모처럼 살 것이라 했다. 열 살이나 손아래 동생이건만 언제나 든든한 나의 후원자였다. 남편이 떠난 후에는 내 마음의 언저리를 항상 배회하고 있는 사람 같았다. 왜냐하면 언제라도 찾으면 달려와서 방금까지 마주 앉아 이야기를 나눈 사람처럼 정확하게 내 마음을 짚어냈으니까. 한 사람의 미완의 삶 후에는 뭔가 처리해야 할 일도 많았다. 아이들은 아직 어리고 의논해야 할 일이 생겨날 때면, 동생은 더없이 좋은 의논 상대자였다. 무슨 일이든 동생과 의논하면 수월하게 해결되었고, 함께 찾아낸 해결 방안은 언제나 만족스러웠다. 그런 동생을 둔 너는 행복한 사람이라고 지인들은 말하곤 했다.

3남매가 있는 서울로 내가 이사를 하자 동생은 재미없다고 하더니만, 얼마 전 새 아파트로 옮겼다고 했다. 갑자기 동생이 보고 싶기도 하고, 얼마나 예쁘게 꾸며놓았을까 궁금하기도 했다. 집안 꾸미기에 한 안목 하는 사람인지라 기대도 되었다.

현관문을 여는 순간 여물고 깊이 있는 살림 솜씨가 한눈에 들어왔다. 현관에서 거실로 막 접어드니 어디선가 본 듯한 옷장이 나를 보고 환하게 웃는 듯했다. 내가 시집보냈던 그 옷장이 맞나 싶을 정도로 마치 성형수술을 받은 미인처럼 딴 모습이 되어 있었다. 아담한 크기의 이 옷장은 윗부분은 옷을 걸어두게 되어 있고, 아랫부분은 두 개의 서랍으로 되어있었다. 서랍은 여닫이 문 속에 감추어져 있어서 이 문을 열어야 쓸 수 있다. 옷장 부분이나 서랍장 부분이나 두 짝의 여닫이문이 있는 셈인데, 이 여닫이문이 참으로 매력적이다. 쌍희 희(囍)자를 왼쪽 문에 절반 오른쪽 문에 절반을 손으로 새겨서, 더욱 정감이 갔다. 정성이 가득 담겼으나 뭔가 좀 부족한 것 같기도 하고, 거친 듯 하면서도 꾸밈이 없는 소박한 글씨는 그래서 더욱 고졸(古拙)한 멋을 풍겼다. 매끄럽고 세련된 것에 식상해진 내 눈길을 붙잡기에 충분했다.

친정 할아버지 댁에 있었던 것으로 연대가 어느 정도인지는 알 수 없으나, 니스가 처음 나와 유행할 때 할머니는 까만 칠을 한 후 그 위에 니스를 덧발라 놓으셨다. 참으로 안타까운 일이었다. 지금 생각하면 할아버지 댁에는 그럴듯한 골동품이 꽤 있었다. 그럼에도 불구하고 까만 칠과 니스를 뒤집어쓰고 있는 이 옷장에만 유독 내 마음이 끌렸던 것은, 아마도 욕심과 기교라고는 없는 시골 아낙 같은 글씨와 아담한 크기 때문이 아니었나 싶다. 언젠가 친정 엄마께 이 옷장이 맘에 든다고 말한 적이 있었다. 할아버지 유품을 정리하던 날, 엄마는 잊지 않고 그걸 우리 집에 내려주고 가셨다. 많은 짐을 트럭에 실으면서 행여 깊숙이 들어가 버릴까봐 마음 졸이셨을 터였다.

서울로 이사를 하면서 나는 짐들을 최소화해야 했다.
이 옷장 앞에 서서 생각을 많이 했다. 그리고 내 동생에게 보내기로 마음먹었다. 아마도 엄마는 이것을 주면서 좋아하는 사람 집에서 귀한 대접 받기를 바랐을 것이다. 동생은 엄마의 그런 마음까지도 헤아릴 것이며 그 누구보다도 애지중지 사랑할 것 같았다. 내 생각은 적중했다. 서울에 있는 고가구 전문가에게 수선을 의뢰했다. 까만 칠과 니스를 벗겨내고 나무 본연의 색깔을 재현하자 대패자국이 선명하게 드러날 뿐 아니라 수십 년 동안의 손때 자국도 고스란히 되살아나 있었다. 힘을 조금만 세게 주어도 부서져 버릴 것 같았던 옷장을 고치고 다듬어서 조명까지 단독으로 비춰주니 자태가 고상하면서도 기품이 있었다. 원래의 모습이 이렇지 않았을까 싶었다.

동생의 손을 꼭 잡으며 고맙다고 하자, 동생도 내게 고맙다는 것이었다.
"내가 중학교 2학년, 중학교 교사인 언니를 따라 서울로 전학

김상남

을 갔을 때부터 언니는 나의 보호자였어."

아니, 그때가 언제라고 이런 말을 하나 생각해보니, 맞아! 회식이라도 있는 날엔 어린 동생이 무서워할까봐 관심을 다른 데 두었으면 싶어 숙제를 빵빵하게 내주었지. 동생은 숙제 뿐 아니라 책상 서랍 정리까지 말끔하게 해놓고 내가 오기를 기다리고 있었어. 동생은 공부도 잘했지만, 내 말도 무척 잘 들었지….

옷장은 꼭 있어야 할 곳에 와 있었다.

우체통

김수경

　얼마 전 크리스마스카드를 보내러 우체국에 들렀다. 예전엔 동네 곳곳에 우체통이 있어 해외, 일반우편, 빠른우편으로 나눠진 칸에 편지며 카드를 넣고 하루 두 번 우편집배원들이 수거를 하곤 했는데 요즘은 그만큼 사용되지 않아 많이 줄었다고 한다. 웬만한 연락도 온라인으로, 특정 날이면 주고받던 손편지나 카드도 요즘은 쓰는 사람이 거의 없어졌기 때문이다. 당연히 우체통의 존재가 무의미해졌고 하루 두 번 수거하던 우편은 하루 한 번으로, 며칠에 한 번으로 줄다가, 하나둘씩 줄어들다 보니(어떤 곳은 폐의약품 수거용으로 쓰이기도 한다고 한다.) 예전만큼 우체통 보기가 쉽지 않아졌다. 아이가 어렸을 때는 손편지의 예쁘고 소중한 감성을 일깨워주고 싶어 특정한 날이 되면 많이 쓰게 했고 우표를 사서 같이 우체통에 넣어 카드 보내기를 했었는데 이젠 찾아보고 가야 하는 상황이니 언젠가부턴 카드 한 장도 우체국으로 가서 보내게 되었다. 시간이 더 지나면 옛날 모습을 보듯, 우체통에 편지 넣는 장면도 역사의 한 추억으로 남게 되는 건 아닌가 싶어 아쉽고 안타까운 마음이 든다.

　우체국에서 카드를 보내고 둘러오는 길에 우연히 우체통을 보게 되었다. 반가운 마음에 가만히 서서 잠시 지켜보자니 불현듯 우리 아이가 어릴 적 일이 생각났다. 쿡쿡 웃음이 났다. 지금은 웃지만 그 당시엔 너무도 심각했던, 잊지 못할...

　아이가 5살쯤 되었을 때일 거다. 받을 우편이 있는데 며칠째 오지 않고 있어 한 번씩 1층으로 내려가 우편함을 뒤져보고 올라오기를 반복하던 날이었다. 왜 자꾸 혼자 나갔다 오냐고 아이가 물었다. 엄마가 어디 가는지 궁금했다는 아이 얼굴은 사실 궁금하다기보다는 본인도 내려가 보고 싶다는 표정이 역력했다. 뭐 나도 귀찮고 아이도 해보고 싶어 하기에 무심코 이번엔 네가 한 번 갔다 와 보겠냐고 했다. 우편함에서 우리 집 호수랑 같은 숫자를 찾아 그 안에 뭔가가 있으면 꺼내서 엄마 이름 적혔는지 확인하고 가지고 오면 된다고. 처음으로 뭔가를 시켜보는 거라 살짝 불안하긴 했지만 건물 안이기도 하고 그 정도는 시켜보는 것도 아이한테 괜찮을 것 같아 한 번 해보라고 했다.
　근데 고개를 갸우뚱하던 아이가 우체통에 가면 우리 집 번호가 있냐고 묻는다. 우체통 아니고 우편함이라고 하는 게 맞고 당연히 우리가 사는 곳 번호가 있다고 했다. 여전히 알쏭달쏭해하는 표정을 짓더니 고개를 내려 본인의 패션을 쓱 스캔한 후에, 자기가 이렇게 입고 나가도 되겠냐는 거다. 공룡 그림이 그려진 실외복 같은 실내복이었다. 한마디로 자기가 내복을 입고 나가도 되겠냐는 질문이다. 아니, 건물 밖을 나가는 것도 아니고 애기가 건물 안에서 잠깐 다닐 건데 그게 뭔 상관이라고?! 난 너무 당연히 괜찮다고 했다. 근데 다시 한 번, 이렇게 입고 나가면 좀 부끄럽지 않겠냐고 한다. 괜찮다고 똑같은 질문과 대답을 주고받았다. 그에 큰 결심한 듯 자기가 해보겠다고 한다.

살짝은 비장해 보이는 그 표정에 '내가 너무 내 품에서만 키웠나?! 바로 밑에 내려갔다 오는 게 이렇게 큰일일까?' 싶어 이제 조금씩 간단한 심부름은 시켜봐야겠다는 생각을 했다. 하지만 막상 현관을 나서는 아이를 보니 불안감이 스쳤지만 이왕 보내보기로 한 거 이번 기회에 지켜보기로 했다.

한 칸 한 칸 계단 내려가는 발자국 소리가 들리다가 어느 순간 잠잠해졌다. 거의 내려갔겠거니, 지금쯤 우편함을 보겠거니, 손이 안 닿으면 와서 뭔가 있다는 말은 하겠거니... 조금씩 시간이 흐르자, 우리 집 우편함이 좀 높아서 애써 보는 중이겠지... 하며 이리저리 합리화해 보지만 이건, 시간이 걸려도 너무 걸린다. 심지어 건물 자체가 너무 조용하다. 뭔가, 어디선가 움직이는 소리 자체가 없다. 한번 현타(현실자각타임)가 오고 나니 순간 쿵 하고 심장이 곤두박질쳤다.

불안한 마음이 치솟아 현관을 뛰쳐나가는 발걸음이 부산해지고 다리가 떨리기 시작했다. 조마조마한 마음으로 도착한 1층. 텅 빈 1층 복도를 보는 순간 머릿속이 하애졌다. 없다. 없다. 내 아이가 없다. 한 눈에 훤히 보이는 우편함 앞에 우편만이 있고 있어야 할 내 아이가 없었다. 일단 밖으로 뛰쳐나가 이쪽저쪽 둘러봤지만 여전히 아이 모습은 어디에도 없었다. 이런 상황은 전혀 생각지 못했는데... 온몸이 덜덜 떨렸다. 일단 남편한테 전화를 해야겠다 싶어서 집으로 뛰어 들어오는데 순간 '우체통'을 말하던 게 생각났다. 몇 번이나 우편함이라고 정정해주었던 생각이 불현듯 났다. 설마 싶었지만 지금은 그걸 따질 때가 아니었다. 돌아서서 동네에 있던 문구점 앞 우체통 쪽으로 달렸다. 신호등 없는 횡단보도를 건너며 이 길을 고작 다섯 살 아이가

47

혼자 건넜을지도 몰랐을 거란 생각에.. 심장이 쪼그라들 것 같다는 말을 실감했던 것 같다. 제발, 제발이라는 그 간절한 단어를 절절히, 간절한 마음으로 되뇌며 간 곳엔, 이제 막 몸을 돌리며 이쪽으로 걸어오는 내 아이가 보였다. 하~. 어이가 없다는 말은 그럴 때 쓰는 걸까. 안도감에 줄줄 흐르는 눈물을 닦으며 아이를 붙잡고 여기에 오면 어떻게 하냐고, 1층 우편함을 보랬지 누가 여기까지 오랬냐고, 엄마가 얼마나 놀란 줄 아냐고 엉엉 울었더니

"엄마, 그런데 우리 집 번호가 없어요."

하며 실망한 표정으로 뜬금없는 소리를 하는 게 아닌가. 눈앞의 엄마 모습보다 그저 본인의 임무를 완수하지 못했음에 아쉬워하는 모습에 그만 맥이 탁 풀렸다. 전혀 상황을 이해하지 못하고 있는 것이었다.

그제야 아이의 말과 행동이 모두 이해가 갔다. 차도 다니고 어린이집 친구들도 마주칠 수 있는 밖으로 나오면서 내복을 입고 나갈 수 있겠냐고. 모든 동네 사람들이 함께 사용하는 작은 우체통에 우리 집 호수가 따로 적힌 칸이 있겠냐고... 말이다.

같은 상황을 너무나 다르게 받아들인 우리 둘. 처음부터 아이에겐 우편함과 우체통이 같은 의미였던 것이고 건물 안이 아닌, 횡단보도를 지나서야 도착하는 우체통까지의 먼(?)거리의 심부름이었던 것이다. 심심한 아이에게 놀이 삼아 몇 계단 내려갔다 오라는, 너무나 가벼웠던 내 생각과 달리 도로 위 길을 건너 우편물을 가져와야 하는 아이는 비장할 수밖에 없었음을... 완전히 이해가 달랐지만 자세한 상황설명은 당장 중요한 것이 아니었다. 그저 아이가 안전하다는 거에 무한 감사해 하며, 집 건물을 떠나

임무 완수하러 몇 백 미터를 혼자 걸어간 용기 있는 모습을 칭찬하며 손 꼭 잡고 돌아왔다.

벌써 강산이 거의 한 번 변했을 시간이 지났지만 여전히 우체통을 보면 그날의 일이 떠오르곤 한다. 짧지만 강렬했던 그 사건! 다시 겪고 싶지 않은 순간이지만 점점 사라져가는 우체통의 존재가 적어도 나에게는 결코 잊을 수 없는 존재로 기억될, 소중한 추억으로 남게 된 것이다.

김소정

하쿠나 마타타

떨리는 아침이다. '잘할 수 있을까?'를 수도 없이 생각한 밤이 지나고 난 비장(?)한 마음으로 운동화 끈을 고쳐 맸다.

사람은 저마다 버킷리스트를 가지고 있다. 내 오래된 버킷리스트 중 하나가 마라톤이다. 저질 체력에 걷거나 뛰는 걸 엄청 못하는 내게 마라톤(사실 걷기대회는 있는지조차 몰랐기 때문)은 일종의, 나에 대한 시험 같은 존재였고 그 시험을 꼭 한 번 통과해 보고자 하는 소망을 언젠가부터 가지고 있었다. 평소 '하쿠나 마타타(잘 될 것이다)'란 말을 엄청 좋아하는데 마라톤이란 힘겨운 시험을 통과하고 나면 진정 '하쿠나 마타타'를 외칠 수 있지 않을까. 평소 어렵게만 느껴지던 일을 극복하고 나면 모든 일에 자신감이 생기지 않을까 말이다.

서울 시내에서 종종 마라톤대회가 열릴 때마다 고민을 했지만 신청으로 이어지진 못했다. 짧은 코스라도 뛴다는 게 쉬운 건 아니니, 대회가 열린다고 해도 막상 신청을 하려고 하면 마우스를 잡은 손이 움직여지지가 않았다. 결국, 평소에 조금씩 연습부터 하자는 다짐과 함께 다음 대회를 기약하게 된 것이었다. 그러다 우연히 걷기대회를 알게 되었다. 길가에 덩그러니 붙은 '한국국제걷기대회' 현수막. 보는 순간 해 보고 싶다는 생각이 들었다. 날짜는 10월 마지막 토요일. 2주 정도를 앞둔 시점이었다. 마라톤은 아니지만 '꿩 대신 닭'이라고 뛰기 대신 걷기로 일단 도전하는 걸로! 걷기를 하고 나면 뛰는 것도 더 쉬워지지 않을까. 그렇게 바로 신청접수를 했다. 나, 신랑, 아들까지. 물론, 그들의 의견은 무시한 채.

이번 행사는 초보자를 위한 5km코스부터 10km, 25km, 42km코스가 있다. 가장 긴 코스(42km)를 걷는 사람들만 아침 일찍 출발하고 나머지 지원자들은 9시 반에 가든파이브 광장에 모여 간단한 행사를 하고 10시에 동시 출발이었다. 우리 세 식구는 일찍 가서 번호표와 물, 1인용 돗자리에 뒤로 메는 색(sack)을 받아 기다렸다. 참가자 번호는 거의 1000번까지 있었고 우린 나란히 498~500번까지 받았다. 유치원생 정도로 보이는 꼬마부터 지팡이에 의지하시는 어르신들까지 다양한 연령대, 거기에다가 국제걷기대회라서인지 다양한 국적의 사람들이 참가했다.
짧은 행사가 끝나고 먼 코스인 25km참가자들부터 출발, 뒤이어 10km, 5km참가자들이 줄지어 출발했다. 남편과 아이는 봄부터 주말마다 거의 8km씩 아침 운동을 했던 터라 별생각이 없는 듯했으나 난생 처음 긴 거리를 걷게 된 난 꽤 긴장이 됐다.
순조로운 출발. 구름 한 점 없을 만큼 맑고 환한 가을 하늘 아래 등판에 번호표를 달고 줄지어 걷는 모습을 뒤에서 바라보며 따라 걷자니 마치 내가 엄청난 경기 속에 임한 듯한 기분에 우습게도 어깨가 으쓱했다. 난 처음이지만 앞에 가는 분들의 등에 적힌 짧은 이력들을 보니 이번 참가가 5회 이상 되는 분들이 엄청 많다는 사실에 굉장히 놀랐다. '다들 부지런하고 활동

51

적으로 사는구나!' 하는 생각이 들면서 나도 모르게 도전 의식
이 생기기도 했다.

　가든파이브 중앙광장에서 장지천을 지나 탄천교(여기에서 확
인스탬프를 하나 찍었다)를 지났다. 올여름 늦더위가 이어졌던
덕(?)에 아직도 남아 있는 녹음들. 그 사이로 보석처럼 부서지
는 아름다운 햇살을 눈에 담으며 조금씩 속도를 냈다. 그 즈음
해서 5㎞참가자들은 가락시장 사거리 쪽으로 빠지는 코스라, 사
람들 간의 간격이 조금 벌어졌기 때문이다. 광명교 하단을 지나
열심히 걸으니 우리 동네를 걷는 코스였다. 잠실4단지에서 학원
사거리 쪽을 지나 석촌호수로 들어서는 길. 그곳에서 확인스탬
프를 한 번 더 받았다. 중간 중간 받는 스탬프가 있어야 완주증
을 준다고 하니 스탬프는 무조건 사수해야 할 부분이었다. 거기
서부턴 새로운 마음이 필요했다. 한 시간 반 정도를 쉬지 않고
걸어 온 그 지점이 6㎞ 정도쯤. 반을 조금 더 넘긴 지점이었다.
힘들진 않았으나 살짝 지겨워도지는 지점인데다가 그때부터는
사람들 간의 간격이 크게 벌어지고 있었기 때문이다. 빠른 사람
들은 이미 보이지도 않고 늦는 사람들 역시 보이지 않을 만큼
벌어진 지점. 난 처지지 않으려고 부지런히 걸었지만 자꾸 추월
당하고 있었기 때문에 조금씩 조바심이 났다. 일렬로 서서 성큼
성큼 걸어가는 사람들을 힐끗힐끗 쳐다보는 다른 사람들의 시선
도 의식이 되었고 자꾸 밀리다가 꼴찌로 들어가고 싶진 않았기
때문이다. 남편과 아이는 내가 중간에 못할까봐 신경을 쓰는 것
같았으나 내가 또 '깡'이라는 게 있다. 여자가 '가오(?)'가 있지.
처음 해 보면서도 5㎞코스는 쳐다도 안 보고 10㎞코스를 선택
한 난데! 내가 신청해놓고 스스로 포기하겠나 말이다. 무슨 일

이 있어도 난 우리 셋 중엔 일등으로 들어갈 것이다!

석촌역을 지나 가락시장사거리까지 다다랐다. 약 8㎞쯤 되었을 거다. 조금 힘들다는 생각이 드는 정도였는데 문정사거리를 지날 때쯤엔 식사시간이 맞물리니 지나가는 식당들에서 맛있는 냄새까지 나자 다리가 혹 아파오는 기분이었다. 사실 그때까지 그 정도로 잘 걸어온 것만도 큰 거였다. 많이 힘들었지만 '조금은 힘들었다는 순간이 있어야 더 보람된 거 아니겠냐'고 스스로를 다독이며 열심히 앞만 보며 걸었다. 날씨가 너무 좋았고 중간 중간 곱게 물들어가는 단풍들도 있었지만 아쉽게도 그런 것까지 생각할 겨를은 없었다. 일단은 완주가 목표였기에. 얼마 남지 않았다는 생각을 하며 걷고 또 걸어 장지역을 통과하고 드디어 출발할 때 건넜던 가든파이브 앞 신호등에 다다랐다. 정말 코앞인데 거기서부터 도착선까지가 정말 너무 멀게 느껴졌던 것 같다.

드디어 영광의 도착선을 넘었고 환희에 찬 나는 도착과 함께 접수처에서 확인을 받고 완주증을 발급받았다. 너무너무 기분이 좋았다. 스탬프 확인증과 완주증을 펼쳐서 내 얼굴과 함께 인증사진을 찍고 여기저기 자랑질을 하고선 고이, 아주 고이 가방에 모셔(?)두었다.

운동을 열심히 하거나 걷기, 뛰기에 익숙한 사람들에겐 사실 10㎞걷기가 별 게 아니다. 하지만, 부끄럽지만 나같이 평소 운동과는 담쌓고 살고 기본체력도 별로인 사람에겐 엄청난 도전이다. 아이가 2학년 때 수영 배우러 간 첫날, 여름이긴 했지만 1㎞정도 걷고 몸살을 앓았던 때를 떠올려 본다면 실로 엄청난 발

전인 거다. 남들 눈엔 어떻든 나 스스로는 정말 대견하고 뿌듯한 날이다. 해냈다는 성취감, 할 수 있다는 자신감, 무엇이든 마음먹으면 잘할 수 있을 거라는 희망과 기대. 단순한 걷기 도전은 나한테 많은 걸 남겼다. 그래, 무엇이든 생각이 있으면 일단 해보는 거다. 해봐야 결과도 있는 법이니까. 스스로 어렵게만 느껴지던 것을 무사히 마쳤다는 건 두고두고 내게 큰 힘이 될 것이다. 자신과의 시험을 통과한 스스로를 칭찬하며 의기양양 말해본다.

하쿠나 마타타!

*하쿠나 마타타(스와힐리어):잘될 것이다, 문제없다는 뜻
(영화 라이온킹에서 '근심 걱정 모두 떨쳐버려'로 더빙됨)

−네이버참조

이영숙

장담 못 합니다
그 집에 살 때
하필이면

안혜영

엄마 키우기
외모 지상주의
샛강에서

오래전부터 이런 소박한 분위기의 식탁을 꿈꾸어 왔습니다. 거실과 부엌을 오며 가며 새로 산 식탁을 느껴봅니다. 소파에 누워서도 저절로 내가 장만한 식탁으로 눈길이 갑니다. 이렇게 시간이 축적된 물건들은 은근하고 깊어 서늘함을 전해 줍니다. 그 지나간 시간의 흔적들이 비밀스럽기도 하고요.

-장담 못 합니다-

친구들이 가고 난 다음에는 "그래도 네가 제일 낫더라." 하더란다. "야! 혜숙이, 명숙이가 얼마나 예쁜데?" 친구들이 모두 언성을 높였다. 나는 그런 시어머니를 둔 친구가 몹시 부러웠다. 어머니의 인정으로 친구는 자신감을 가졌고 늘 당당하게 앞길을 열어 간 것 같았다. 그 시절, 깡촌의 할머니가 '사는 방법'을 알아서 그런 건 아니라고 생각한다. 고운 심성으로 남의 자식을 예쁘게 바라보는 시선이 친구에게 자신감을 심어 주었다고 생각하니 그 시선이 위대했다는 생각이 들었다.

-외모지상주의-

장담 못 합니다

이영숙

나는 옷이나 가구, 이런 것들이 허름해 보이는 것을 좋아합니다. 강화에 있는 조양방직에 차려진 어마어마한 빈티지 카페를 문학기행 때 들렀습니다. 버려진 물건들을 재조립한 그 오래된 물건들의 매력에 빠져 졸지에 길을 잃을 뻔했습니다. 빈티지란 구글에서 찾아보니 오래되어도 가치 있는 것이라네요.

나는 새 옷을 구입하면 낯설어서 바로 입지 못하고 장롱 속에 묵혔다가 꺼내 입는 버릇이 있습니다. 몇 년 전에 장미상가에 갔다가 맘에 쏙 드는 카키색 야상잠바를 발견했습니다. 그 잠바는 처음부터 오래 입은 옷처럼 허름했습니다. 누가 버린 옷 같았습니다. 그래서 더 맘에 들었습니다. 가격도 만만치 않았고 덥석 구입했다가 후회할까봐 용케 참고 집으로 돌아왔습니다. 며칠이나 머릿속에 그 잠바가 어른거리네요. 마침 큰아들이 왔길래 그 잠바 얘기를 했습니다. 사실 나는 약간 결정장애가 있어 혼자 해결을 못하고 물어보길 잘합니다. 아들은 "그렇게 자꾸 생각나면 당연히 사야지." 하는 겁니다. 그래도 혹시 나의 뜨거운 욕망이 식어버릴지 모른다는 기대감(?)에 1년을 버텼습니다. 하지만 내 손아귀에 들어오기 전까지 욕망이 사그라드는 일은 일어나지 않

57

았습니다. 그런데 막상 구입해서 집에 있는 거울을 보며 입어보니, 가뜩이나 칙칙한 얼굴이 더 어두워 보였습니다. 늙은 내가 잘못이지 잠바 잘못은 아니라는 생각이 들더군요. 너무 차일피일 미루다 보니 사랑이 식었나 봅니다. 일단 장롱에 걸어 놓고 사랑이 다시 돌아오기를 기다리는 수밖에 없었습니다.

내가 가지고 있던 식탁은 철제 식탁입니다. 한 20년 전에 그 시크해 보이는 검은 식탁이 천 년은 된 것 같아 한순간 반해 버렸습니다. 금속공예과 학생의 작품인데 망설이지도 않고 사버렸습니다. 20년 정도 되니 슬슬 싫증이 납니다. 사실 싫증난지 한참 됐으나 식탁 가격이 한두 푼도 아니고 많이 참았습니다. 팔에 닿는 차가운 감촉도 싫고요. 자꾸 녹이 슬어 유리를 깔아야 하는 것도 싫었습니다. 유리는 관리하기가 만만치 않습니다. 게다가 허술하게 닦으면 비린내가 나 먹다 남은 소주로 꼼꼼히 닦아야 해서 아주 성가십니다.

마침 이태원에서 코로나 끝나고 처음으로 벼룩시장이 열렸습니다. 내가 오래전부터 원했던 식탁을 드디어 발견했습니다. 엔틱가게 구석에 먼지를 쓰고 처박혀 있더군요. 견고해 보이고 우리 할머니 시절부터 모진 세월을 견뎌낸 농가 식탁으로 보였습니다. 영국에서 왔는데 100년이 넘었다는 말에 확 끌렸습니다. 흘러간 시간을 산다는 심정으로 샀습니다.

내가 왜 이러는지 모르겠네요. 또 식탁을 사다니. 내가 태어난 황해도 연백 집에는 고가구들이 많았다고 합니다. 태어난 지

몇 개월 만에 남쪽으로 피난을 내려와 아무것도 보지 못했습니다. 억울합니다. 그래서 이렇게 오래된 물건에 허기가 지는 걸까요? 그래도 다행인 건 시어머니 유품인 강화반다지, 삼층장으로 어느 정도는 갈증을 달랠 수 있었습니다.

오래전부터 이런 소박한 분위기의 식탁을 꿈꾸어 왔습니다. 거실과 부엌을 오며 가며 새로 산 식탁을 느껴봅니다. 소파에 누워서도 저절로 내가 장만한 식탁으로 눈길이 갑니다. 이렇게 시간이 축적된 물건들은 은근하고 깊어 서늘함을 전해 줍니다. 그 지나간 시간의 흔적들이 비밀스럽기도 하고요.

모르죠. 이 식탁도 언젠가 싫증이 날지도... 장담 못 합니다.

페르난두 페소아는 이런 말을 하고 있습니다. 소망하면서도 가지려고 하지 않는 것, 이것이 왕관이다. 우리가 포기하는 것이 우리에게 속한다 하네요. 기어코 소유해 버린 야상잠바와 식탁도 포기하는 게 페소아가 말하는 진정한 소유일까요?. 하지만 이제 그러고 싶지 않습니다. 퇴행성관절염으로 무릎도 아프기 시작했는데, 어쩌다 찾아오는 내 사소한 욕망들을 잘 다독여주고 싶습니다.

그 집에 살 때

전세로 살다가 우리 부부는 처음으로 주택을 마련했다. 그때 있었던 일이다. 1984년, 내 나이는 34살이었다.

어느 날, 세든 남자가 아주 사근사근한 말투로, -장롱 좀 며칠만 맡아 주세요.- 하는 거다. 그 남자는 얼굴이 호빵처럼 둥글어 좀 순해 보였다. 아주 절박한 사정이 있다고 한다. 그러면서 우리 널찍한 마루를 힐끔힐끔 눈으로 훑으면서 부탁을 하니, 세상 물정도 모르고 야무지지도 못하던 나는 며칠만이라니까, 그냥 -그렇게 하세요- 하고 말았다. 그 장롱이 우리 마루의 커다란 창문을 가려 실내가 어두컴컴해지자 나의 실수를 절감했다. 하지만 며칠만이라니까, 가슴이 갑갑하지만 겨우겨우 참을 수 있었다. 남자가 장롱을 가져간다는 날짜가 지났는데 소식이 없길래, 왜 안 가져가느냐고 물었다. 상냥하고 친절했던 그의 모습은 온데간데없이 사라지고, 본인이 알아서 가져가겠노라 외려 큰소리를 친다. 그때부터였는지 나는 너무 친절한 사람을 보면 신뢰감보다는 방어심리가 생겨 의심스럽다. 인상이 좋았던 그 남자는 어쩌다 마주치면 눈까지 흘긴다. 너무 분했지만 싸움을 할 줄 모르는 나는 제대로 된 대응도 못했다. 그래서 난 순발력이 있어 논리적인 말로 잘 싸우는 사람을 부러워한다.

어느 겨울날, 태어난 지 얼마 안 되어 아직 아기인 둘째아들을 업고 거실 앞 베란다에 서 있었다. 마주 보는 곳에 가까이, 다른 집 중년 아주머니가 나를 보고 아는 체를 했다. -매일 지하실에 연탄 갈러 가는 사람이 신랑이지?- 언제 봤다고 반말을 하지? 심지어 -신랑이 선생이지?- 님자도 안 붙이고 왜 저러시나. 사실 그때 남편은 학교를 그만두고 이직을 한 상태였다. 일일이 설명하기도 귀찮아서 바보처럼 -어떻게 아세요?- 했다.

-난 얼굴만 보면 다 알아. 얼굴에 다 써 있어.- 쩌렁쩌렁 울리는 목소리에 거세보이기도 해서 나는 그녀가 약간 무서웠다. 그녀가 웃는 얼굴로 자기 자랑을 하도 하길래, 중간에 말을 자를 수도 없고, 힘들지만 묵묵히 들어주고 있었다. 그러다보니 그녀의 셋집 연통에서 연기가 솔솔 나오는데, 방향이 우리 집 거실 쪽이었다. 나는 최대한 정중하게 -아주머니 저 연통 방향을 다른 쪽으로 가게 하면 안 될까요?- 했다. 아주머니의 표정이 굳어지면서 갑자기 험악하게 변했다. -새댁, 그럴 거면 산속에 들어가 혼자 살지 왜 여기 살아.- 그러면서 쌩하고 들어가버렸다. 맹수처럼 사나운 그녀의 뒷모습을 그냥 바라보기만 했다. 그때 아마도 나는, 언제까지 이렇게 당하고만 살아야 하나. 이런 생각을 했던 거 같다.

또 그 집에서 이런 일도 있었다.

결혼 초창기라 우리 집 김장을 시어머니와 함께 담갔다. 시어머니의 고향인 개성에서는 보쌈김치를 한다. 절인 배추를 이파리들은 떼어서 모아놓고 배춧속은 썰어서 다라이에 넣고 갖은 양념을 한다. 특히 단감은 꼭 들어간다. 이파리들은 보자기가 되어 대접에 여러 겹으로 깔고 김치가 새지 않게 꼭꼭 담아 뭉친다. 어머니는 보자기가 얼마나 남았냐며 보쌈김치는 보자기가 넉넉해야 한다고 강조하셨다. 마지막으로 잣을 위에 솔솔 뿌리면 보쌈김치가 완성이 된다. 그렇게 한 덩어리 한 덩어리를 정성스럽게 만들어 항아리에 담는다. 항아리에 가득 채우고 나머지는 미리 익힌다. 지레 먹을 보쌈김치를 손잡이가 달린 파란 플라스틱 통에 가득 채웠다. 어머니는 다음날이면 간을 보신다. 소금과 액젓을 조금 물에 타서 김치 위에 뿌린다. 그렇게 되면 김치가 익으면서 김치 국물에 푹 잠긴다. 그러기 위해 펄펄 끓는 물에 삶은 돌덩이를 김치 위에 꾹 눌러둔다. 익으면 김치가 시원하고 담백하다. 보쌈김치가 가득 들어 있는 파란 김치 통을 놔둘 데가 마땅치 않아 계단 입구에 임시로 올려놓았다. 저 위에 난간으로 곧 옮겨야지 하고 마음먹고 있었는데, 다음날 현관문을 열고 나가보니 없어져 버렸다. 도둑을 맞은 거다.

나보다 어머니께서 더 속상해 하셨다.

이런 일들을 겪으며 한 4, 5년 살았나. 큰아들이 초등학교를 들어가던 해에 이 집을 팔고 아파트로 이사를 하였다. 생애 최초로 잠시 건물주(?)가 됐었던 남편은 그 집을 떠나게 된 것을 꽤나 아쉬워했었다. 남편은 십여 년 후, 지나는 길에 그 동네를 둘러보았다고 한다. 우리가 살았던 집은 사라지고 번듯한 독서실로 변신을 했더라고 남편은 나에게 말해 주었다.

이상한 게 아이들은 어리고 사건 사고가 끊이지 않아 고생스러웠던 그 집에 살 때가 생각은 젤 많이 난다.

하필이면

직장에 다니지 않고 집에서 살림만 하는 게 내 꿈이었습니다. 결혼 전에 내가 다니던 직장에는 전혀 흥미가 없었으며, 권태롭기만 했습니다. 추운 날 아침마다 일찍 일어나 마당 수돗가에서 머리 감고, 정해진 시간에 출근해야 하는 게 너무 싫었습니다. 결혼 적령기라 한창 선이 많이 들어오고 있었어요. 누가, 아주 건실하고 직장도 좋은 남자를 소개한다고 했습니다. 그때는 이대 앞 양장점에서 옷을 맞춰 입던 시절이었어요. 지적으로 보이는 군청색 투피스를 새로 장만하고, 머리도 꽤 신경을 썼습니다. 지나치게 준비를 했는지, 사람을 만나기도 전에 이미 지쳐가고 있었습니다. 나의 직장은 서소문이고 토요일이면 한 시에 끝나는데, 상대방과 신촌에서 여섯 시에 만나기로 했습니다.

일이 일찌감치 마감이 됐고, 밖을 내다보니 구름이 잔뜩 낀 날씨였습니다. 마침 옆에 앉은 여직원이 맥주 한잔하자는 겁니다. 그 여직원과는 가끔 맥주를 마시곤 하는 사이였어요. 선보는 날이라 절대 안 된다고 했죠. 그녀는 맥주 한잔인데 어떠냐고, 시간도 많이 남았다며 나를 설득했습니다. 나는 새로운 사람을 만나려면 낯을 몹시 가려 긴장을 많이 합니다. 지금은 많이 나아졌지만 그때는 그랬습니다. 맥주 한잔 하자는 달콤한 유혹에 그만 넘어가고 말았습니다.

63

서소문 근처에 분위기 좋은 레스토랑에 갔습니다. 나름 자제를 하며 시간도 때울 겸 천천히 맥주를 마시고 있는데, 깔끔하고 인상도 좋은 지점장도, 그곳에서 거래처 사람과 만나고 있었습니다. 지점장은 나가면서 우리 테이블도 계산을 했습니다. 기대도 안했는데 말입니다. 더 기분도 좋고, 그러다가 맥주를 마시면 가끔씩 찾아오는 발동이 걸려 버렸습니다. 뭐, 그래도 거울을 보니 얼굴도 하얗고, 그다지 취하지 않은 상태라 생각하고 약속 장소인 신촌으로 갔습니다.

　누군가 그러더군요. 술을 마시면 바로 취하는 게 아니라 한 시간 후부터 취한다고요. 문제의 그날도, 상대방과 만났을 때 실내가 훈훈해서인지 갑자기 취기가 확 올라왔습니다. 아무렇지 않은 척해야 할 것 같아서, 그러려고 최대한 노력은 많이 했습니다. 그 남자는 내가 선호하는 자상한 스타일의 남자였어요. 그의 결혼 준비는 완벽했구요. 신촌 대로변에 한옥을 마련했다며, 우리 집 가는 길에 있는 그 집을 보여 주더군요. 내가 사는 집보다 더 번듯한 한옥이었습니다. 심지어 그 남자는 웃는 얼굴로 친절하게 우리 집까지 데려다주고 갔습니다. 그러고선 다시는 연락이 없더군요. 애프터도 안할 걸 본인 집은 왜 보여주나, 약 올리려고 그러나, 하필이면 선보는 날 맥주를 마시는 바람에 일을 그르치다니. 내가 만약 김태희 같은 미모였다면 술이 취했음에도 불구하고 그 만남이 이어질 수 있었으려나, 아쉽더라구요. 하여튼 소개를 해준 사람에게는 원망도 많이 들었습니다. 이 얘기를 아무한테도 말을 못했습니다. 말을 해 봤자, 술 마시고 소개팅에 나갔다가 차이기나 했다는 말을 들을 건 뻔했으니까요.

그런 낭패를 겪었는데 술을 끊어야 하는 거 아니냐구요? 더 나이 먹으면 어차피 술도 못 마실 텐데, 굳이 그래야 하느냐고 반문하고 싶습니다. 지금은 거의 술을 안 마시지만, 어쩌다 발동이 걸리면 계속 마시려 하는 술버릇은 여전합니다. 매 순간, 맨 정신으로 살아가기 어려운 내가 술을 마시는 이유는, 책을 읽는다거나 영화를 보는 거나 같습니다. 술, 책, 영화는 낮을 몹시 가리고 나서기를 꺼려하는 내 마음을 구구절절 알아줍니다. 나만 이상한 게 아니라고요. 그들은 나의 외로움을 덜어주는 역할도 톡톡히 해내거든요.

요즈음은 눈이 침침해 책을 읽는 게 힘듭니다. 영화도 마음에 남는 작품을 만나는 게 아주 드물어지고 있고요. 술도 그래요, 배만 부르고 잘 취하지도 않습니다. 이제 오랜 세월 함께 했던 그들과 멀어지고 있습니다. 그들과 만나지 않고도 욕망과 갈증이 느껴지지 않고, 심심하지도 않으며, 매사 담담하게 살아갈 수는 없는 걸까요?

엄마 키우기

안혜영

십여 년 전에 돌아가신 친구의 시어머니는 남편이 죽자 아이고, 이제 저 일력은 누가 떼 주나? 내 발톱은 누가 깎아주나? 탄식했다. 그분은 뚱뚱해서 배가 접히지 않았다. 그때까지만 해도 우리 엄마들이 이 지경이 될 줄 몰랐다. 딸들은 없던 힘을 내어 엄마를 보살피고 있으나 능력이 못 미친다.

감당불가 넘버원은 노름꾼 엄마다. 장장 30년이 넘는 경력에도 불구하고 화투 실력이 늘지 않는지 현장에서 빌린, 얼마인지도 모를 빚을 딸들은 끝없이 갚고 있다. 이전에는 남편들이 갚아 주었는데 염치가 없어 이젠 스스로 해결한다. 제일 큰 어려움은 남편으로부터 쏟아지는 경멸의 눈초리를 견디는 것이다. 지친 친구가 카톡방에서 너무 힘들다, 어떻게 해야 할지 모르겠다고 하소연하는데 한 착한 친구가 엄마가 계심을 하나님께 감사하라고 한다. 연이어 다른 친구가 한마디 더 거든다. (나중에 두 친구는 남의 엄마를 욕할 수는 없지 않냐고 푸념했다.) 위로가 안 되는 위로를 건네는 이 친구들에게 화가 난 친구는 카톡방을 나가버리고 말았다. 친구를 달래 카톡방에 들어오게 만드느라 몇몇은 하루 종일 전화기에 불이 났다.

며칠 후 모임이 있었다. 빈자리 없이 꽉 찬 카니발 안에서 약속한 것도 아닌데 누구 엄마가 더 골치인가 겨루는 배틀이 벌어졌다. 모두 할 말이 넘쳐 끼어들기를 하자 한 친구가 순서를 정해주고 한 사람의 발언 시간을 10분으로 제한했다.

다음으로 골치 아픈 엄마는 공주님 엄마이다. 쓰리 스타였던 아버지에게 사랑만 받고 살았던 엄마는 아버지가 돌아가시자 무섭다고 당신의 집에 들어가지를 않으셨다. 친구가 집으로 모셔 삼시세끼를 차려 드릴 수밖에 없다. 여담 하나, 아버지는 돌아가시기 전날 잠시 눈을 떴을 때, 탁자 위에 삐뚜름하게 놓인 각 티슈를 보고 인상을 찌푸렸다. 놀란 자식들이 탁자 테두리와 티슈의 각을 나란히 맞추자 안심하고 다시 눈을 감았다. (그런 아버지가 엄마를 어떻게 예뻐해 주셨는지 나는 늘 의문이다.) 스타의 사랑을 받던 그 엄마가 1기 자궁암에 걸렸다. 수술은 생략하고 항암 주사 치료만 받으신다. 평소에도 엄마가 동창회나 장교 부인들 모임에 갈 때면 차로 모시고 다녔는데 암에 걸렸으니 친구가 수족 노릇을 더 할 수밖에 없다. 치료한 지 며칠이 지나면 너무 힘들어하시니 친구는 발을 동동 구르다 시설을 알아보았다. 마침 가까운 곳에 암 요양병원이 있어 모셨는데 첫 달 병원비가 일천 일백 만 원이 나갔다.

그다음 불량 마더는 통이 큰 어머니다. 큰 집안에서 큰살림을 하던 그분은 좁고 갑갑한 것을 못 견딘다. 허리가 아파 주사 맞으며 입원하고 있는데 6인실은 싫다고 하여 1인실에 간병인을 두고 누웠다. 자식들은 먹을 것을 이고 지고 병원으로 나른다.

불과 7~8년 전쯤 "우리는 맨날 해외여행 가면서 부모님 여행은 안 시켜드리면 되겠나? 다리 성하실 때 제주도라도 모시고 갔다 오자." 약속을 하여 경쟁하듯이 여행을 시켜드렸고 한 친구는 이스라엘 성지순례까지 갔다 왔다. 짧은 시간에 엄마들이 이렇게 변할 줄은 몰랐다.

가만 보니 엄마계에도 우등생과 열등생이 있다. 우등생으로 타고나 우등생으로 사는 엄마를 둔 친구는 생전 엄마 걱정은 안 한다. 대표선수는 60대부터 게이트볼을 하신 엄마다. 지금은 심판이 되어 전국으로 게이트볼 대회에 가서 심판을 봐 주고 용돈까지 받아 오신다. 친구가 고향집에 내려갈 때면 엄마의 스케줄을 반드시 확인해야 한다.

또 다른 우등생 엄마는 자신의 작은 아버지를 모시는 분이다. 작은 아버지의 오랜 병마에 지친 자식들이 하나하나 아버지를 버리고, 마지막 남은 딸마저 더이상 하루도 못 버티겠다며 친구의 어머니께 SOS를 쳤다. 자랄 때 잘해 주신 것이 고맙다며 팔순의 조카는 구순의 작은 아버지를 집으로 모시고 왔다. 사랑과 헌신을 빼앗긴 아버지의 반발로 오래 모시지는 못했지만 대단한 엄마다.

우등생 엄마들도 언제까지 버티실지 모르는 일이고, 열등생 엄마들이 계속 이렇게 사신다면 서로 너무 힘들다. 게이트볼 심판 엄마처럼 우등생으로 타고나지 못했으면 우리가 우등생을 만들어야 한다. 엄마가 우리를 키워 주셨듯 이젠 우리가 자립적인 인간으로 키우는 양육자가 되어야 한다. 육체적, 정신적 독립심을 기르는 것이 교육의 목표이다. 보조 수단을 이용하더라도 날마다 걷게 하고, 자식을 향한 '사랑 고파' 병을 고치는 것이 커리큘럼이다.

머리 복잡한 날, 엄마의 전화가 울린다. 옛날이야기 들어주기, 인간관계 속 울화 풀어주기를 며칠 빼먹어 '때가 됐는데...' 싶던 중이었다. "내 안 보고 싶나?" 이럴 때 약해지면 아기는 응석받이가 된다. 엄마가 돌아가신다면... 생각만 해도 울컥하지만, 혼자 사는 엄마는 씩씩하게 지내시는 게 좋을 것 같다. "엄마. ㅇㅇ이(우리 아들 이름)가 나 보고 싶어 하겠나?" 물어본다. "맞네. 안 보고 싶겠네." 하신다. "엄마. 내가 해 보니 친구들과 노는 게 제일 재미있더라. 엄마도 교회 친구들이랑 재미있게 놀아." 한다. "응. 목사님 어머니 오라고 해서 호박죽이나 끓여 먹어야겠다." 스스로 해결책을 찾으신다. 이런 훈련을 통해 엄마는 강건해지셨다. 엊그제는 8명 구역 예배를 엄마 집에서 드렸다고 한다. 어젠 하루 종일 나와 함께 병원 순례, 먹거리 장보기, 옷 쇼핑을 해도 지치지 않으셨다. 오히려 내가 힘들 정도였다. 스파르타 훈련이 통했다. 엄마. 100세까지 파이팅~

안혜영

외모 지상주의

튀르키예에 여행을 갔다. 가이드가 터키를 우리와 형제의 나라라고 하는 이유를 아냐고 물었다. 모두 한국전쟁 때 터키에서 많은 군인을 파병해 주어서 그렇다고 말했다. 가이드는 그것도 맞지만 터키인은 우리랑 같은 우랄 알타이족이라고 하면서 돌궐족을 들어 보았냐고 한다. 나의 경우, 학창시절에 역사 교과서에서 잠깐 본 것이 다지만 나를 비롯한 모두가 큰소리로 안다고 외쳤다. 그 돌궐족이 터키족이라며 나라가 망하고 서쪽으로, 서쪽으로 이동해 와서 나중엔 오스만트루크라는 대제국을 건설한 민족이라고 설명한다. 서쪽에 있는 터키인이 우리와 같은 동쪽 민족이었구나 생각하니 반가운 마음이 솟았다. 우리와는 비교할 수 없이 후진국인데 모두 선하거나 밝은 모습을 보니 정감이 가서, 이슬람 사원에 히잡처럼 스카프를 두르고 들어가는 것에도 전혀 거부감이 일지 않았다.

터키 남자들은 모두 앞머리는 비고, 수염은 한없이 숱이 많고 배는 볼록하다. 간혹 엉덩이가 큰 사람들도 있다. 여자들은 대부분 엉덩이가 남산만 한데 얼굴은 하얗고 조그맣고 쌍꺼풀이 크다. 그녀들의 얼굴에서 나를 사로잡는 부분은 긴 속눈썹이다. 속눈썹의 색깔도 어찌나 진한지 촘촘하고 숱 많은 검은 눈썹이 쌍꺼풀진 하얀 눈꺼풀 아래를 덮고 있는 모습은 그림보다 아름다웠다. 이 세상에는 이런 눈도 있구나, 긴 속눈썹이 로망인 나는 끝없이 들여다보고 싶은 충동을 참으며 곁눈질로 힐끗힐끗 훔쳐보았다.

나의 이런 모습을 보았는지 가이드는 지나가며, 이 사람들 긴 속눈썹 부러워하지 말아요. 서쪽으로 이동하는 동안 사막의 먼지바람을 피하기 위해 생긴 거예요, 우리도 그런 열악한 환경이었으면 다 성냥개비 서너 개 올려놓을 정도는 되었을 거예요 한다.

맞다. 속눈썹은 태중에서도 환경이 좋지 않을수록 눈을 보호하기 위해 길게 자라는 것이라고 했다. 결혼이라는 대사를 신중히 생각하지 않고 속눈썹이 길다는 이유 하나로 근본도 모르는 남자와 덥석 연애를 시작한 것은 내 외모 지상주의의 방증이다. 남편의 속눈썹이 긴 것은 시어머니가 음식을 가리지 않고 먹어 태내의 환경이 안 좋았기 때문이고, 나의 속눈썹이 짧은 것은 임신하고 좋은 것만 먹으려 노력한 어머니로 인해 태내 환경이 깨끗했기 때문이라고 생각한다. 알면서도 아직도 긴 속눈썹만 보면 눈을 떼지 못하다니..... 나는 늘 남의 떡이 크게 보인다.

대학 동창 중에 항상 자신감에 차 있어 자기 이야기를 많이 하는 친구가 있다. 못생긴 게 왜 저렇게 당당할까 하는 궁금증이 이번에 풀렸다. 시어머니 때문이었다. 아들은 키기 작은데 며느리가 커서인지 어머니는 아이구! 우리 며느리 훤칠하다. 자고 막 일어났는데도 얼굴에서 빛이 나네. 이런 식으로 얘기를 했다고 한다. 나와도 친한 친구들과 만난 적이 있는데 어머니는 "친구들도 모다 어찌 이리 좋노?" 하더니 친구들이 가고 난 다음에는 "그래도 네가 제일 낫더라." 하더란다. "야! 혜숙이, 명숙이가 얼마나 예쁜데?" 친구들이 모두 언성을 높였다. 나는 그런 시어머니를 둔 친구가 몹시 부러웠다. 어머니의 인정으로 친구는 자신감을 가졌고 늘 당당하게 앞길을 열어 간 것 같았다. 그시절, 깡촌의 할머니가 '사는 방법'을 알아서 그런 건 아니라고 생각한다. 고운 심성으로 남의 자식을 예쁘게 바라보는 시선이 친구에게 자신감을 심어 주었다고 생각하니 그 시선이 위대했다는 생각이 들었다. 가까운 사람의 응원은 나에게 힘을 준다. 그러므로 우리는 가까운 사람을 따뜻한 시선으로 바라보아 주어야 한다.

아들의 결혼식장에서였다. 키는 큰데 어깨가 솟아 있는 바깥 사돈은 그날도 역시 어깨에 힘이 잔뜩 들어가 있었다. 딸과의 입장을 거의 다 하고 혼주석 가까이 남편이 다가오자 키가 30센티는 작은 안사돈이 어깨 힘 빼요, 하고 위엄 있게 말한다. 늘 하던 잔소리였겠지. 잔소리로 남편의 자세가 고쳐진다면 평생 가장 주목받는 자리였을 신부 입장에서 그렇게 어깨를 올리고 있진 않았을 것이다. 바깥사돈은 움찔하고 어깨를 잠시 내렸지만 곧바로 원위치가 된다. 안사돈의 위력은 먹히지 않았다. 오히려 남편을 더 주눅 들게 했을 것이다. 술이 들어가지 않는 이상, 말 한마디 하지 않는 그의 위축감이 부인의 매서운 잔소리 때문이 아닌가 싶어 안타까웠다. 며느릿감도 늘 작은 결정도 내리지 못하고 우리 아들에게 미루었다. ○○야. 너를 엄청 사랑하는 시아버지와 시어머니가 있으니 어딜 가든 당당하게, 너 하고 싶은 대로 하고 살아라, 하고 말해 주었지만 바뀔지는 모르겠다. 젊을 때 읽은 글에, 어머니가 친구에게 "애는 미간이 넓어."하고 말하는 걸 들은 후 눈을 어찌할 수 없으니, 이후 미간을 신경 쓰느라 자신감이 없어졌다는 사람의 얘기가 있다. 오늘 아침 뉴스에도 브라질의 인플루언서 모델이 무릎의 지방 제거 수술을 받다가 사망했다는 기사가 뜬다. 무릎에 지방이 있어본들 얼마나 있었을까?

살아보니 완벽한 외모를 가진 사람도 없고, 완벽하게 타고났다고 해서 완벽한 행복이 찾아오는 것도 아니다. 누구의 말을 통해서건, 내 스스로 만든 감옥이건 안 되는 외모를 한탄하며 남만 부러워하고 살 필요는 없는 것 같다. 사람은 다 다르게 생겼을 뿐이다.

P.S 속눈썹이 긴 사람들에겐 죄송합니다. 꾸벅

안혜영

샛강에서

건설현장에서 일하던 삼남매 아빠 A씨는 오랜 경륜으로 작업현장 근처 산의 진가를 알아보았다. 저 산을 사서 개간만 하면 시누이들의 아이를 키워주는 일로 생활비 보태는 부인의 고생을 멈추게 할 수 있으리라 생각했다. 대부분의 돈을 대출해 산을 산 그는 날마다 쉬지 않고 산속의 화강암을 캐냈다. 산 하나가 평지로 탈바꿈을 하자 엄청난 크기의 땅이 생겼다. 마침 종합운동장을 지을 땅을 찾고 있던 양평군에서 그 땅을 샀다. 목돈은 쥐었지만 커가는 아이들과 다달이 쓸 생활비가 더 중요한 A씨는 또 다른 땅에 원룸을 지었다. 나는 그곳을 여러 번 가 보았다. 강 앞이라 건물 이름에 리버를 넣었지만 그 강은 본류가 아닌 작은 지류였다. 이 개울 같은 작은 물 앞에 있는 창창한 남한강 물이 리버이지, 늘 우습게 생각했다.

그들이 집을 짓고 거의 10년이 다 되어가는 어느 해 그 건물 옆에 스타벅스 양평점이 들어왔다. 스타벅스 100호점인데다 뷰가 좋다며 사람들이 몰려들어 불법 주차로 동네가 몸살을 앓는다고 하였다. 남한강 본류도 아니고 본류 앞 작은 샛강을 보려고 그렇게 많은 사람들이 온다고? 나는 믿어지지 않아 몇 년이 지나도 그곳을 가보지 않았다.

올해 봄, 친구들과 드라이브를 하다 한 친구가 가보고 싶다고 하여 그곳에 들어갔다. 남들이 다 좋다고 하면 좋은 거란 사실을 다시 한번 깨닫는 순간이었다. 그 샛강을 보지 않겠단 결심은 아무 의미 없는 고집에 불과했다. 그곳을 가는 사람이 본류가 있는 줄 모르리라는 것도 다 나의 억측이었다. 창대한 본류가 흐르고, 우거진 수풀을 사이에 두고 내가 익히 아는 지류가 흐르는 모습은 한 폭의 그림처럼 아름다웠다.

가평 설악에 있는 자잠이라는 카페에 가서 샛강의 아름다움을 발견했으면서 또 고집을 부린 것이 몹시 멋쩍었다. 남한강이고, 북한강이고 본류는 물론 아름답지만 지류의 아름다움을 발견하고 그곳에 스위티안 호텔이며 샤트레봉 카페며, 지어서 함께 보자고 하는 사장님들이 카페족인 나는 고맙다.

돌아보니 주변엔 지류의 아름다움을 가진 사람들이 많다. 본류를 방해하지 않으면서, 아니 본류를 더 빛나게 하는 존재들 말이다.

엄마가 다니는 교회엔 돌아가신 창립 목사님의 사모님이 계신다. 어찌나 청렴하신지 재산 대부분을 한신대에 기부하여 2층짜리 작은 집 한 칸 남겨놓고 가신 목사님. 그래서 사모님은 現 목사님 가족에게 1층을 내어주고 2층 방 한 칸에 살고 계신다. 우리 어머니가 교회를 자식만큼이나 사랑하고 아끼는 것을 아는 사모님은 늘 어머니께 감사하다고 말씀하시곤 했다. 드디어 그 감사를 표현할 기회가 왔다. 작년에 어머니는 임파선암 선고를 받았다. 항암치료를 하고 집으로 오시면 기운이 없어 밥을 해 드실 형편이 못 된다. 나 빼고 다 효녀, 효자인 우리 형제들은 발을 동동 굴렸지만 매일 아침 엄마 집으로 넘어가서 밥을 해 드릴 수는 없었다. 그때 사모님은 나도 같이 먹으니 걱정 마시라며 3개월 동안 엄마의 삼시 세끼를 챙겨 주셨다. 엄마뿐만이 아니라 도움의 손길이 필요한 곳엔 언제든 달려가시고 칭찬과 감사의 말에는 손을 내저으신 다. 사모님은 젊은 사모님을 곁에서 도우며 교회를 더 좋은 집단 으로 만들고 계시는 샛강 같은 존재다.

모임에도 이런 샛강의 아름다움을 지닌 분들이 있다. 같은 조가 되었을 때 자신의 이야기를 하기보다 다른 사람에게 관심을 가지 고 상대방이 얘기를 하게 하는 사람이다. "선생님 텃밭에도 작물이 자라겠네요. 뭐 심었어요?" 물어주고 내 대답에 살을 붙여가며 따 뜻한 분위기에서 대화가 오고 가게 만들어 준다. "그런 건 뭐하러 하나 몰라." "내 친구도 있는데 개고생이더라." 이런 얘기를 심심하 면 듣는 나로서는 그의 관심과 사랑이 코끝 찡하도록 고마웠다.

카페도 또 가고 싶은 곳엔 반드시 정원을 예쁘게 가꾸든지 야 무지게 청소를 해놓는 조력자가 있다. 한 카페에서는 여자가 머리 수건을 쓰고 몇 시간 동안 정원 일을 해서 일꾼인 줄 알았는데, 실내로 들어와 빵과 커피를 자기 손으로 가져 나가기에 사장님께 물어보니 사모님이라고 하였다. 한지공예가라면서 벽에 붙은 액자 들이 모두 부인 작품이라고 하는데 얼굴이 까맣게 탄 그녀는 누가 보아도 동남아시아에서 온 인부였다. 우리는 달려나가 왜 그렇게 힘들게 일하시냐고 그만하시라고 오지랖을 부렸다. 그녀는 내 손 이 가야, 꽃들이 예뻐진다고 얘기하면서도 일손을 멈추지 않았다.

남한강과 북한강도 지류를 함께 품으며 아름다움을 더해 가듯이 세상일도 보조자의 협력으로 善을 이룸을 환갑 나이가 되어서야 깨닫는다. 이미 사회의 본류에서 한발 비켜나 살고 있는 나는 어 느 조직에서건 누군가의 조력자 역할이나마 성심껏 하리라 다짐해 본다.

유광현

세 개의 숟가락
차오, 세레나

박경옥

아이비
그 아이와 함께

많은 생각들을 속초에 내려놓고 배를 탔다고 생각했다. 생각의 길목인 SNS도 차단했다. 그러나 두고 온 생각들은 배를 따라와서 스멀스멀 뱃전으로 기어 올라오고, 새로운 생각들이 돌고래처럼 갑자기 바다에서 솟구쳐 올라왔다. 생각을 비우기는커녕 꼬리를 무는 물귀신 같은 잡념의 바다에 빠져 허우적거리기 일쑤였다.

-차오, 세레나-

눈이 내리는 날은 그 아이와 눈을 맞으며 걸었고, 벚꽃이 흩날리는 날은 그 아이와 꽃비를 맞으며 걸었다. 아카시아에 찔레꽃 향기 더해질 때는 그 향기 사라질까 봐 날마다 그 아이와 걸었다. 올려다보면 고운 단풍이 아래는 향기로운 낙엽이 바스락거리는 산길을 그 작은 발과 보폭을 맞추며 걸었다. 나의 14년은 그 아이와 함께였다.

-그 아이와 함께-

세 개의 숟가락

유광현

외손자가 우리 집에 와 있다. 코로나로 학교가 문을 닫아 있을 곳이 마땅찮아진 외손자를 딸이 우리 집에 보냈다. 딸은 건강이 안 좋은 아내 대신 내가 건사를 해야 하는 속사정을 알기에 미안해했지만 난 오히려 고마웠다.

사위가 해외 근무 발령을 받아 손자도 외국에 나가 살아야 하기에 출국 전 금쪽같은 시간을 어떻게 보낼까 고심하다 국사를 가르치기로 했다. 앞으로 외국아이들과 공부할 때를 대비해서 우리나라 역사에 대한 최소한의 교양과 자긍심을 가질 수 있는 좋은 기회라 생각했다.

서점에서 산 초등학교 교재는 예전보다 수준이 높았고 편제와 용어도 많이 바뀌어 있었다. 나는 가능한 한 쉽게, 재밌게, 숲을 보는 방향으로 얼개를 짰다.

첫째 날, 선사 시대를 구분 짓는 석기시대, 청동기시대, 철기시대 설명부터 난감했다. 시대를 대표하는 돌도끼, 청동거울이나 쟁기는 손자에게는 듣도 보도 못한 물건들이었다.

철기시대를 설명할 때 주위에 철로 만든 것을 예로 들라 하자 손자 입에서 대뜸 자동차, 비행기, 탱크, 로봇 등 집안에 없는 것들만 줄줄이 튀어나왔다. 나는 공부하던 식탁에서 일어나 집 안에 있는 냉장고, 세탁기, 건조기, 텔레비전, 정수기, 컴퓨터, 커피포트 등을 열거하고, 마지막으로 수저통에서 숟가락을 꺼내 보였다. 손자가 집에 올 때마다 전용으로 사용하는 손잡이에 예쁜 꽃무늬가 있는 작은 스텐 숟가락이었다.

고향 마을 뒷동산은 어릴 적 병정놀이에 안성맞춤이었다. 경사가 완만한 야트막한 남향받이 앞쪽은 넓은 잔디밭에 비석과 상석과 석등을 거느린 커다란 봉분이 듬성듬성 있었다. 응달진 산의 뒤편은 소나무와 바위가 촘촘하고 비탈진 중턱엔 6·25전쟁 때 판 참호들이 흘러내린 흙더미 속에서도 자취가 온전히 남아 있었다. 이곳은 유엔군과 중공군이 치열하게 싸운 가평전투가 있었던 격전지였다.

어느 날 우리는 병정놀이를 하다 참호 속에서 흙에 묻힌 이상한 물체를 발견했다. 그것은 놀랍게도 수류탄이었다. 아랫마을 사람이 불발 수류탄을 갖고 장난을 치다 손목이 부러지고 고자가 되었다는 소문을 알고 있었던 우리는 식겁하여 줄행랑을 쳤다. 그러나 곧 호기심이 발동한 우리는 며칠 후 삽과 곡괭이와 호미로 참호 바닥을 팠다. 발굴 작업의 성과는 대단해서 철모, 대검, 총알, 수통, 반합, 숟가락 등이 고구마 캐듯 나왔다. 오랜 세월 땅속에 묻혀 녹이 슬고 부식되었지만 형체는 뚜렷했다. 철모와 총알 따위는 예상했지만 숟가락은 뜻밖이었다.
출토물을 고철로 엿장수에게 엿과 바꿔먹는 쏠쏠한 재미에 우리는 그 후 병정놀이는 제쳐 놓고 참호와 산속 여기저기를 들쑤

시고 다녔다. 간혹 알 수 없는 뼈를 발견하기도 했는데 그때는 산짐승의 뼈라고 무심히 여겼다. 나중에야 외국 병사들이 낯선 이국땅에 남긴 주검의 잔해였을 거란 섬뜩한 생각이 들었고, 그들이 사용하던 숟가락을 주고 바꿔먹은 엿이 목에 걸린 생선가시 같았다.

그 무렵 흔한 게 거지였는데 보릿고개 즈음에 유난히 많았다. 남루한 옷차림을 한 사람들이 자주 대문 앞에 동냥을 하러 왔다. 할머니는 그때마다 "밥숟가락이나 뜨는 형편에 배고픈 사람을 그냥 돌려보내면 벌받는다."며 반드시 밥과 반찬을 주어 보냈다.

어느 봄날 모녀로 보이는 거지가 왔다. 할머니가 푸짐하게 담아주신 밥과 반찬을 내가 건네주자 그들은 곧바로 가지 않고 햇볕이 좋은 사랑채 툇마루에 앉아 밥을 먹기 시작했다. 나는 그들 옆에 서서 밥 먹는 모습을 지켜보고 있는데 이상한 점이 눈에 띄었다. 숟가락 하나를 잃어버렸는지 엄마 혼자서 부지런히 밥을 먹고 내 또래의 딸은 엄마의 모습을 지켜보고 있었다. 엄마가 얼른 먹고 난 후 딸에게 넉넉히 밥을 남겨주어 천천히 먹게 하려는 가난한 엄마의 모정이었을 것이다.

나는 엉겁결에 부엌으로 달려가서 찬장에 있는 작은 숟가락 하나를 갖다 딸에게 주었다. 땟국물이 꾀죄죄한 얼굴의 여자아이는 냉큼 숟가락을 받아서 엄마와 함께 밥을 먹기 시작했다. 그들은 순식간에 밥을 먹고 숟가락을 깡통에 넣은 채 일어섰다. '댕그랑댕그랑' 깡통 속 숟가락 소리가 멀어지는데, 나는 숟가락을 돌려달라는 말을 어쩐지 못하고 말았다.

유광현

조손(祖孫)간의 국사 교육은 한 번의 결강도 없이 한 달 만에 끝났다. 평소 공부에 관심이 없어 딸을 속상하게 하는 손자가 매일 한 시간씩 하는 역사 수업만큼은 군소리 없이 따라온 것이 신통방통했다. 진도가 나갈 때마다 처음부터 복습을 되풀이한 덕분에 손자는 단군왕검부터 현대사까지 큰 줄거리를 파악하고 이해할 수준이 되었다. 사우디에서 근무할 때 사막에서 운전을 하다 목격한 신기루 같았던 꿈이 현실이 된 현대사를 할때는 가평전투 두 달 후 태어난 내가 어린 시절에 보고 들은 것부터 광화문에서 겪은 넥타이부대 데모까지 개인사를 덧붙였다.

병정놀이에 코 빠지고 엿장수를 눈 빠지게 기다리던 나와 엇비슷한 나이의 손자는 '왜 외갓집 뒷동산에서 총알과 숟가락이 나왔는지, 왜 잘 사는 우리나라에 거지가 많았는지' 궁금해 했다. 더더구나 먼 바다를 건너와 이름도 모르던 나라의 야산 참호에서 등걸잠을 자다 엿장수에게 팔려간 숟가락, 졸지에 기와집 아이에서 거지 소녀로 주인이 바뀐 숟가락, 두 숟가락의 풍찬노숙(風餐露宿) 야사를 손자가 어찌 이해할 수 있겠는가.

손자와 이별할 날이 한 달 후로 다가왔다. 이제 출국하면 3년 후에나 귀국을 한다. 손자의 숟가락은 주인을 기다리며 수납장 구석에서 긴 잠을 잘 것이다. 어쩌면 영원히 잠에서 깨어나지 못할지도 모른다. 덩치가 훌쩍 커져서 올 손자에겐 어울리지 않을 작은 숟가락이 불용품(不用品)이 될지라도 나는 그 단잠을 깨우려 하지 않을 것이다.

차오, 세레나

엉겁결에 크루즈 여행을 했다. 친구 따라 강남 간 것도 아니고 애당초 존재하지 않았던 버킷리스트와도 무관한 충동적인 결정이었다. 우연히 아내 생일과 같은 날 출발하는 크루즈 여행 광고를 보자 바로 신청을 했다. 몸이 불편해서 비행기 여행이 힘든 아내에게 괜찮겠다는 단순한 이유였지만, 4,000M 바다 밑으로 심해관광을 가는 세상에 고작 바다 위를 가는 크루즈 여행도 못 갔다는 사실에 은근히 화도 났다. 걱정이 많은 아내의 취소 요청과 나의 묵살이 수차례 반복된 끝에 마침내 아내 생일날 내 생애 처음 크루즈 배를 탔다.

안녕! 코스타 세레나!

코스타 세레나는 이탈리아 선적의 크루즈선 이름이다. 세레나라는 예쁜 여자 이름과 달리 실물은 위풍당당한 여장부의 모습이었다. 3,700명의 승객과 1,100명의 승무원이 탈 수 있는 290m 길이, 13층 높이의 어마어마한 규모였다. 마치 거대한 고층아파트가 누워 있는 것 같았다. 객실에 짐을 풀고 발코니에 나가니 동해 바다가 바로 눈앞에서 넘실거렸다.

속초항이 멀어지면서 모든 SNS와 단절했다. 그동안 카톡과 유튜브 등 여러 SNS에 찌들어 살았던 중독 현상에서 벗어나고 싫어서 차단을 한 채 일주일을 버텼다. 감히 비유하건대 속세와의 인연을 끊고 출가하는 불자의 심정이었지만 크루즈선 자체가 가장 원초적인 욕망 덩어리였다. 고향인 가평을 떠나 금강산으로 입산한 게 아니라 종로 한복판에 있는 절로 간 꼴이었다.

방에 있는 TV도 안 보고 일주일간 철저히 외부 소식으로부터 차단되니 정신이 맑아지는 느낌이 들었다. 유일하게 궁금한 게 프로야구의 게임 결과였다.

배 안에는 면세점, 카지노, 레스토랑, 바, 극장, 수영장, 노래방, 피트니스 센터 등 오감을 만족시키는 시설이 골고루 있어서 먹고 마시고 놀고 춤추고 노래하고 쇼핑하고 운동할 수 있는 움직이는 종합 놀이세트였다.

그중에서도 압권은 대극장이었다. 1,500명이 동시에 관람할 수 있는 3층 규모의 대극장에서는 우리나라 유명 가수 초청 공연, 외국의 뮤지컬 쇼, 마술 쇼 등이 매일 밤 펼쳐졌다. 이번에는 태권도 가수로 알려진 나태주와 소녀 가수 김다현이 특별 공연을 해서 인기를 끌었다.

나태주는 현란한 태권도 발차기 기술 덕에 유명해졌기에 노래를 즐기기보다는 공연 내내 '언제 발차기를 할까' 하는 기대감과 '혹시 실수를 하면 어쩌지'하는 걱정이 교차했다. 어린 내 자식이 학예회 발표하는 것을 지켜보는 아슬아슬한 심정이었다. 그는 노래하랴, 틈틈이 발차기하랴, 중간에 물을 마시기도 하면서 호흡 조절을 하더니 마침내(?) 작은 사고를 쳤다.

그가 박력 있게 발차기를 한 순간 하얀 운동화 한 짝이 벗겨져 동그란 조명 불빛을 벗어나 어둠 속으로 날아갔다. 그는 한

쪽은 맨발인 채 계속해서 노래를 부르며 발차기를 했다. 그때 무대 맨 앞줄에 앉았던 누군가가 엉금엉금 무대 위를 기어 올라 갔다. 60대로 보이는 남자였다. 나이든 남자 망신시키는 취객의 주책이라는 지레짐작에 조바심이 났다. 그는 무대 구석에 있는 운동화 한 짝을 집어 노래하는 나태주 발밑에 살며시 갖다놓았고, 나태주는 잽싸게 운동화를 신고 노래를 이어 갔다. 나태주는 몇 곡을 더 부른 후 공연이 끝나 퇴장을 하면서 그 남자가 앉아있는 컴컴한 객석을 향해 발 대신 엄지손가락을 치켜세웠다.

이어서 김다현 가수가 등장했다. 14살 나이에 비해 성숙한 모습의 그녀는 노래는 물론 입담으로 무대를 쥐락펴락했다. 공연이 끝나자 청학동 훈장에서 매니저로 변신한 그녀의 아버지 모습이 보였다. 여전히 개량 한복 차림에 갓을 쓰고 염소수염을 한 그를 보자 "이렇게 며칠씩 나와 있으면 딸은 언제 공부를 하지?" "돈 버는 것도 좋지만 너무 하는 것 아닌가?" 내 입속에 있는 말을 주위에서 아줌마들이 대신해 주는 소리가 들렸다.

승객들은 얼핏 보기에 여자와 노령층이 훨씬 많았다. 북해도와 아오모리를 현지 관광하며 안면이 튼 아줌마들과 얘기를 나눠보니 그들은 딸과 사위가 함께 왔거나 여행경비를 대주어서 왔다고 은근슬쩍 자랑들을 했다. 나는 알토란같은 내 돈으로 왔건만 나 또한 그러한 것처럼 소이부답(笑而不答)으로 맞장구를 쳐주었다.

승객들은 전부 내 고향 이웃사촌같이 투박하고 평범한 한국인인 반면 허드렛일을 하는 승무원들은 모두 필리핀, 인도인이었다. 40여 년 전 해외건설 현장에서 만났던 필리핀 국립대 출신의 전화교환수와 인도 국립대를 나온 운전기사가 생각났다. 시공을 초월한 이들의 공통점은 영어 구사 능력이 뛰어나며 저렴한 인건비인데 변함없는 국력의 차이가 생생하게 대비되는 현장을 다시 목격했다.

　승객들은 한 배를 탄 동행이었지만 서로가 강남역 인파 속에 스치고 지나가는 행인이나 마찬가지였다. 2천 명이 넘는 사람들이 미로 같이 복잡한 배 안에서 많은 프로그램에 참여하다 보니 한 번 만난 사람을 다시 만날 가능성은 거의 없었다. 그럼에도 불구하고 사람들은 친절했다.

　여행 내내 민폐를 끼칠까 봐 걱정하는 우리 부부를 배려해주었다. 우리에게 늘 관광버스의 앞자리를 양보했고, 장모를 모시고 온 무던하게 생긴 사위는 먼저 우리 사진을 찍어 주었고, 긴 줄을 선 뷔페식당에선 새치기를 강권했다. 처음 만나 돌아서면 남남이 될 사이임에도 다시 만날 인연처럼 다정했다. 무정한 인심이나 험악한 세상 타령은 유행가 가사에나 존재하는 것 같았다.

　플로어에 경쾌한 댄스 음악이 흐르자 처음엔 멈칫대던 사람들이 쌍쌍이 춤을 추기 시작했다. 여자들끼리 짝을 지어 춤을 추거나 드문드문 남녀 커플이 어설프게 춤을 추는 가운데 늙수그레한 남녀 한 쌍이 등장하였다. 강남 제비 같은 남자와 빨간 드레스까지 차려입은 여자가 플로어를 누비기 시작했다. 구경꾼들의 시선을 독차지하는 군계일학의 한 쌍이었다. 나는 부부 같기도 하고, 아닌 것 같기도 한 그들의 춤추는 모습을 시샘 반, 감탄 반의 심정으로 바라보았다. 그리고 아주 오래전에 회사 다닐 때 점심시간에 배우던 사교댄스를 중단한 걸 후회했고, 내가 다시 태어난다면 훤칠한 체격에 저 늙은 제비보다 춤을 잘 추는 남자이길 바랐다.

나는 혼자, 발코니에서 자주 시간을 보냈다. 새벽마다 배달되는 자체 신문에 소개되는 다양한 프로그램은 그림의 떡이었다. 뭔가 참여를 하지 않고 가만히 있으면 손해를 보는 듯한 느낌에 나는 매일 밤 공연하는 쇼나 카지노, 노래방이나 수영장 모두를 '여우의 신포도'로 생각했다.

나는 커피의 깊은 맛은커녕 얕은맛도 모른다. 평소 분위기에 휩싸여 숭늉 마시듯 하던 커피를 발코니에 앉아 눈앞에 망망대해를 바라보며 마시니 색달랐다. 잔잔한 바다는 명징한 호수 같았고, 내가 해질녘 호숫가에서 물끄러미 호수를 바라보는 길 잃은 한 마리 물새 같다는 생각이 들었다. 나는 문득 이제껏 멍청하거나 괴팍한 사람들의 기행(奇行)이라고 치부했던 물멍이란 걸 해 보고 싶었다.

많은 생각들을 속초에 내려놓고 배를 탔다고 생각했다. 생각의 길목인 SNS도 차단했다. 그러나 두고 온 생각들은 배를 따라와서 스멀스멀 뱃전으로 기어 올라오고, 새로운 생각들이 돌고래처럼 갑자기 바다에서 솟구쳐 올라왔다. 생각을 비우기는커녕 꼬리를 무는 물귀신 같은 잡념의 바다에 빠져 허우적거리기 일쑤였다.

5박 6일 간의 여행을 마치고 속초항에 오니 기다리고 있는 것은 때 이른 폭염이었다. 그러나 다시 크루즈선을 타고 가라면 가지 않으리라. 눈에 보이고 귀에 들리는 즐거움을 외면하며 금욕하고 절제하는 여행은 고행이었다.

　　차오! 크루즈!

＊차오(CIAO)

안녕!(이탈리아어로 만날 때나 헤어질 때 쓰는 비격식 인사표현)

(이번 여행에서 배운 유일한 이탈리아어).

아이비

박경옥

행잉식물로 유명한 아이비를 당근했다. 가정에서 사랑받고 자라서인지 화원에서 구입한 것보다 훨씬 더 윤기가 좔좔 흘렀다. 반달 모양의 코코넛 화분에 퇴비를 잔뜩 넣고 옮겨 심었다. 쌀뜨물을 받아 며칠을 발효시킨 뒤 배부르게 먹이며 키웠다. 코코넛 화분에 담겨 담벼락에 걸려 있는 아이비는 옷을 잘 입은 멋쟁이처럼 돋보였다. 기른 정이 얼마나 무서운 건지 식물에서도 느낀다. 아이비가 자라 밑으로 멋지게 내려올 날을 고대하고 있던 어느 날, 키가 훨씬 큰 식물이 보였다. 자세히 보니 감자를 달고 있는 감자 잎이었다. 아마도 전 주인이 실수로 감자를 넣은 모양이다. 감자라는 배경이 든든한 부모를 가진 감자 잎은 자라는 속도가 빠르고 통통하여 아이비가 햇빛을 보지 못하게 가리고 있었다. 아이비는 기가 죽어 자라지 못하고 잔뜩 눌려 있었다. 두어날 두고 보다가 결단을 내렸다. 감자를 빼어 다른 곳에 옮겨 심고 아이비가 맘껏 친구들과 자라게 만들어 주었다. 코코넛 화분이 아닌 커다란 곳에 옮겨 심은 감자 잎도 쑥쑥 잘 자랐다.

넷플릭스에서 학교폭력을 다룬 드라마 The Glory가 방영되어 화제가 될 무렵에 정 모씨가 국가수사본부장에 임명되었다. 그의 아들이 학교폭력을 일으켰던 과거가 들춰졌다. 사람들은 학교폭력을 일으킨 아들의 비행보다 아들을 감싸기 위해 대법원까지 가는 소송을 걸어서 긴 싸움을 일으킨 정 모씨를 더 비난했고 그는 국가수사본부장에 임명된 지 하루 만에 사퇴했다. 아들은 감자 잎처럼 큰 감자에 뿌리를 기대어 유복하게 자라 다른 친구를 괴롭혔다. 천하무적의 힘을 가진 아들은 자신의 아버지는 판사들을 많이 알아 자신이 무죄를 받을 거라고 큰소리를 치며 피해자와 계속 같은 기숙사에서 지내며 친구를 괴롭혔다. 일베라고 자처하는 아들은 친구에게 "빨갱이 새끼야, 제주도 돼지 새끼야 냄새나니 저리 꺼져."라고 놀렸다. 판사는 강제 전학을 명 했다. 父子는 민사고가 명문 학교이기도 하지만 학교폭력으로 기록되지 않게, 전학을 가지 않고 소송을 이어가며 버텼다. 방과 후에라도 피신처가 필요했던 피해자는 기숙사에서 지내야 하니 숨이 제대로 쉬어질 리 없는 사면초가에 처했다. 자살 시도까지 가게 되는 등 평생을 안고 가야 하는 상처를 받았다. 기숙사 생활을 하는 학교의 폭력은 다른 학교보다 몇 배 더 큰 피해를 입는다고 한다.

The Glory에서 가해자는 피해자가 어떻게 지내는지 어떤 아픔이 있을지 전혀 생각하지 않았다. "내가 잘못했네. 그때 너를 죽였어야 했어." 가해자 연진이 피해자를 향해 한다는 말이 용서나 반성이 아닌 그때 죽이지 못했음을 후회하는 것이었다. 민사고의 가해자도 이런 생각을 하고 있을지 모른다. The Glory의 연진이 기케를 하며 화려하게 사는 것처럼 민사고의 가해자도 서울대에 단번에 합격하여 화려한 부모덕에 잘 먹고 잘살며 대를 이어 부모처럼 살 예정이었다. 드라마니까 문동은의 복수는 성공했지만 민사고 폭력의 피해자는 아이비가 감자를 이겨내지 못하는 것처럼 속수무책으로 보였다. 민사고 피해자의 말이 회의록에 기록되어있었다. "아, 그래서 결국 가해자가 이기는구나." 지금 비난이 있더라도 시간이 흘러 유야무야하게 되고 그도 아버지처럼 검사가 되고 또 그런 아들을 낳아 무소불위의 권력인 것처럼 남발할 예정이었을 것이다.

내 남편 친구인 교사의 이야기다. 학생에게 자세를 바르게 하라고 주의를 주니 "씨발, 이래라저래라 지랄이야."라고 큰 소리로 말하는 학생을 그 자리에서 멱살을 잡고 교무실로 데리고 가, 이성을 잃은 채로 죽지 않을 만큼 때렸다고 한다. 그 학생의 아버지는 소문난 조폭 두목이었다. 교사는 후환이 두려워 여차하면 사표까지 낼 생각을 하고 있었다. 다음날 학생의 아버지가 교무실로 찾아와 그 교사를 찾더니 자초지종을 듣고는 아들을 불러왔다. 아들에게 무릎을 꿇고 선생님께 사과하고 학교 수업이 끝날 때까지 계속 그 자리에서 벌을 받으라고 하며 자신도 아들을 잘못 키웠노라고 백배사죄했다고 한다. 그리고 아들에게 교실에 들어가서 공개사과도 하라고 시켰다. 조폭 두목의 아들은 검사였던 정 모씨의 아들보다 훌륭한 부모를 두었다는 생각이 들었다. 감자도 잘 자라고 아이비도 잘 자라게 할 수 있는 방법을 조폭도 아는데 정 모씨만 모른단 말인가. 아버지가 구독하는 신문을 10년을 보았더니 자신도 모르게 일베가 되어있었다는 아들을 보며, 끝장 소송까지 갔던 아버지의 행동 하나하나가 자라나는 아들에게 그대로 복사된다는 아주 당연한 사실, 아주 오랜만에 들춰보는 부전자전이다.

민사고 입학만으로도 아이비리그 대학에 나란히 손잡고 가야 하는 실력 있는 아이들이었는데, 어른들의 잘못으로 가해자도 피해자도 둘 다 나락에 빠지고 말았다. 네티즌들이 가해자를 가만히 두지 않는 시대가 올 줄 정 모씨는 몰랐던 것일까. 봄비 내리는 아침이다. 하얀 담장에 걸려 있는 반달 모양 코코넛 화분의 아이비는 넝쿨을 내리고 있는데 말이다.

*행잉식물; 화분을 걸어서 넝쿨을 아래로 내리게 하여 장식하는 식물
*당근; 일상생활에서 자신은 필요 없지만 버리면 쓰레기 활용하면 자원이 되는 마켓
*일베; 극우성향 인터넷 커뮤니티
*아이비리그 대학; 미국 동북부에 있는 여덟 개의 명문대학을 통틀어 이르는 말. 아이비 넝쿨처럼 이어진 미국 동북부 대학을 일컬음
*아이비; 포도과의 낙엽 활엽 덩굴나무
*기케; 기상캐스터

그 아이와 함께

눈이 내리는 날은 그 아이와 눈을 맞으며 걸었고, 벚꽃이 흩날리는 날은 그 아이와 꽃비를 맞으며 걸었다. 아카시아에 찔레꽃 향기 더해질 때는 그 향기 사라질까 봐 날마다 그 아이와 걸었다. 올려다보면 고운 단풍이 아래는 향기로운 낙엽이 바스락거리는 산길을 그 작은 발과 보폭을 맞추며 걸었다. 나의 14년은 그 아이와 함께였다.

내가 운영하는 게스트하우스 이름은 모노홈이고 스튜디오 이름은 모노홈 스튜디오이다. 모노는 우리 집 열네 살 된 강아지 이름이다. 얼마나 소중하면 우리 집 이름이 가장의 이름도 아니고 사업주 이름도 아닌 강아지 이름이겠는가. 만장일치로 지분이 하나도 없는 강아지가 집주인이 되었다. 그녀는 새로운 사람들이 들어오는 인기척이 나면 자기가 인사를 해야 한다고 털과 귀를 정돈하기 위해 머리를 세게 몇 번 흔들어 옷매무새를 고친다. 미소로 맞이한 후 게스트들의 가방에 뭐가 들었는지 킁킁대며 마치 마약 탐지견처럼 행동한다. 그러던 그녀가 새로운 게스트 체크인을 하러 가서 탐지견 행세는 고사하고 끙끙 앓는 것이었다. 며칠 전부터 걸음걸이가 시원찮아 눈여겨보던 참이어서 곧바로 병원에 갔다.

사람도 웬만한 병이 아니면 찍지 않는다는 MRI를 찍었다. 경추 압박이 심해서 신경 눌림으로 앞다리에 힘이 없고 이대로 두면 일어서지 못하여 대소변은 물론 걷지를 못한다는 것이었다. 수술비용은 대학생 등록금이 넘는 7~8백만 원이 든다고 하며 고령이라 수술이 성공할지도 미지수라고 하였다. 3년 전에는 서울대 병원까지 가서 극적으로 살아난 후 건강히 지내다가 병이 난 것이다. 며칠 전까지 초록색 잔디밭에 하얀 인형처럼 바람에 귀를 날리며 달리던 모노의 견생을 마무리 지어야 하나 고민이 된다. 까만 눈동자를 반짝이며 다른 곳은 무척 건강한데 말이다.

나에게는 사람 딸도 둘 있다. 하나는 결혼했지만, 아이를 낳지 않고 있다. 강아지가 아프니 이 딸은 아픈 강아지를 안고 눈물이 글썽글썽하다. 돈이 얼마가 들어도 모노의 병을 고칠 수만 있다면 수술을 하겠다고 한다. 모성애도 총량이 있다던데 강아지에게 온갖 정성을 쏟으니 모성애를 다 써버려 아이가 필요 없는지도 모른다. 또 하나는 결혼을 하지 않겠다고 한다. 모노가 있으니 자식이 필요 없고, 아이를 낳아서 30여 년을 보살피는 일을 할 자신이 없다고 한다.

젊은이들이 많이 사는 홍대의 숲길을 걸으면 유모차가 많이 보인다. 날씨가 추워서 이불을 덮고 있어 아기인가 싶어 반가운 마음에 다가가면 강아지다. 아기를 태운 유모차는 일주일에 한 번쯤 만나는데 강아지를 태운 유모차는 수십 대를 볼 수 있다. 직접 보지 않고는 아무도 믿을 수 없는 광경이다.

내가 다니는 수영장은 65세 이상의 노인에게 50% 할인이 된다. 이 수영장에 유독 노인이 많은 이유인지도 모르겠다. 아무튼 어디를 가든 노인의 비율이 매우 높은 것은 사실이다. 76세라는 할아버지는 상급 레인 수영장에서 수영은 거의 하지 않고 사람들이 중간에 쉬기만 하면 말을 건다. 자유 수영 시간에 다니라고 강사가 권해도 소용없다. 자신이 한강에서 구한 사람만 몇 명이나 된다고 허풍처럼 들리는 말을 하며 수영 강사의 눈을 피해 회원들에게 호흡은 어떻게 해야 한다, 힘을 빼라, 힘을 넣어라 훈수를 둔다. 그의 말에 대꾸라도 할라치면 말이 쉬지 않고 이어져 수영은 포기를 해야 한다. 어느 날, 수영 강사의 지시대로 숨을 헐떡이며 레이스를 하고 있는데 내 팔뚝을 잡으며 음파를 어떻게 해야 한다고 지시했다. 이때 팔뚝 옆 가슴에 살짝 닿기까지 했다. 강사가 수영에 대한 강습을 하면 한 곳에 회원들이 모인다. 그 틈을 타서 모두 볼 때 개헤엄 같은 개폼 수영을 유유히 하며 시선을 한 몸으로 받고 싶어 한다. 말이 너무 많고 관종이라 사람들이 모두 그를 꺼려한다.

사람으로 치면 이 할아버지보다 나이가 많은 모노는 말이 전혀 없다. 아파도 말을 하지 못하니 검사 결과만 봐도 이 아이가 얼마나 아팠을까 가슴이 미어진다. 보행에 지장이 있는 지금 어디가 아픈지 한마디도 안 하니 더 가슴이 아프고 안타깝다. 솔직히 나도 친정어머니가 아픈 것보다 더 답답하고 가슴이 아프다. 그 할아버지에게 말이 없어야 사랑 받는다는 말을 꼭 해 주고 싶다. 강아지에게 배운다.

─ ─ ─

박경옥

유권자인 노인들은 국가로부터 각종 혜택을 받아 수명을 연장하며 의료기술은 좋아만 지고, 유권자도 아닌 강아지는 주인의 아낌없이 열어주는 지갑으로 점점 수명이 늘어만 간다. 우리나라 2대 도시 부산은 이미 노인과 바다의 도시가 되어가고 있다고 한다. 서울은 노인과 강아지의 도시라고 부르게 될 날도 머지않아 보인다. 인류 역사상 유래 없는 최저 출산율을 기록하고 있는 대한민국이다. 어느 인류학자는 우리나라의 출산율을 보고 비명을 질렀다. 그럼에도 우리는 또 모노를 지극 정성으로 돌볼 것이다.

김정태

휘어지다
베끼기

김영주

남도기행
아무튼, 행복

휘일 듯이 곧고, 곧은 듯이 휘어 / 작은 그릇에 작은 몸 작은 곳에 머물며 / 사철 큰 한 뜻을 전하고 있다

'난초'라는 시인데 큰 한 뜻까지는 모르겠고 내가 꽂힌 부분은 '휘일 듯이 곧고 곧은 듯이 휘다'는 구절이다. 그렇다. 나는 '휘어지다'라는 말에 민감하다. 휘어진다는 것은 여유가 있고, 융통성이 있다는 것이며, 힘을 뺀다는 말이다, 내가 되고 싶은 상태이다.

-휘어지다-

'결과는 하늘에 맡기자. 인명은 재천이니까'

나는 이 편안하고 안락한 기분 좋음을 오랫동안 누리고 싶었다. 사는 것이, 행복해 지는 것이, 그리 어려운 과제는 아니라는 생각이 든다. 사소한 구속에서 자유로워지는 것만으로도, 이렇게 감사가 넘치는 행복감에 충만해질 수 있다니 말이다.

여전히 내 앞에는 빛나는 시간들이 미래로 미래로 길을 열고 있다.

-아무튼, 행복-

휘어지다

김정태

휘일 듯이 곧고
곧은 듯이 휘어
작은 그릇에 작은 몸 작은 곳에 머물며
사철 큰 한 뜻을 전하고 있다

'난초'라는 시인데 큰 한 뜻까지는 모르겠고 내가 꽂힌 부분은 '휘일 듯이 곧고 곧은 듯이 휘다'는 구절이다. 그렇다. 나는 '휘어지다'라는 말에 민감하다. 휘어진다는 것은 여유가 있고, 융통성이 있다는 것이며, 힘을 뺀다는 말이다, 내가 되고 싶은 상태이다.

강철이 발명되고 나서야 비로소 4~ 5층 이상의 건물을 지을 수 있게 됐다. 구조물들을 지탱하는 것은 모든 게 내력과 외력의 싸움인데, 콘크리트로는 외력을 건디지 못한다. 더구나 높은 건물들에 막혀 갈 길을 잃고 모인 골바람은 그 세기가 엄청나다. 탄성이 있어 휘어지기는 하지만 부러지지는 않는 강철이라야 버틴다. 대학 신입생 영어 교과서에서 마천루에 대한 이런 내용을 읽었다. 그때부터 나는 휘어짐에 대해 생각했다. 사람을 보면 두 가지 형으로 분류하는 버릇도 생겼다. 이 사람은 휘어지는 형인가? 아니면 부러지는 형인가?

　우리 가족에 한해서는 사람과 이름이 일치한다. 이름대로 남편은 남쪽 나라에서 수영을 했고, 딸은 우리 부부에게 온 밝은 은혜이다. 나는 곧을 정, 클 태라 곧게만 살았다. 탄성이라고는 없어 부러지기만 했다. 반 아이가 준 꽃이 너무 예뻐 교감 선생님 책상에 양보했다가 '어린 게 아부하는 것만 배웠다고' 하는 선배 교사에게 대들었던 일. 교장실에서 교장 선생님이 "농땡이 부리는 거 아냐?"라고 했을 때, 교장의 눈을 똑바로 쏘아보며 "뭐라고요?" 했던 일, 감히 시어머니 앞으로 돈을 부쳤다고, 어른 이름을 누가 편지봉투에 쓰냐고, 그런 것은 초등학생인 조카도 안다고, 우편배달부 보기 얼마나 창피했는지 아냐고 다다다다 쏘아대는 시누이에게 맞대거리 했던 일, 그 밖에도 무수한 일들이 나에게 힘이 잔뜩 들어가 휘어지지 못하고 부러진 일이다. 그래서다. 내가 휘어짐에 관심이 많은 것은.

　언니의 사춘기 아들은 휘어지는 형이다. 대학교 들어가자 옷을 친구 집에다 두고 이상하게 입고 다닌다는 말을 이웃에게 전해들은 언니는 화가 몹시 났다. 조카가 집에 오자마자 때리려고 총채를 들었더니 엄마를 뒤에서 껴안고 조카는 말했단다. "어머니 제가 뭐 그렇게 큰 잘못을 했다고 이러십니까? 이러시기를, 제가 가출을 했습니까? 담배를 피웠습니까?" 언니는 마음이 풀어져 총채를 놓을 수밖에 없었고. 조카의 넉살이 나는 아주 마음에 들었다. 녀석의 휘어짐이, 부러지지 않는 탄성이 부러웠다.

그는 수석교사로 상담실에 온 첫날부터 자식 자랑이 늘어졌다. 아들 셋이 판사, 박사들이라고 자랑하는 그를 나는 일찌감치 꼰대로 분류해 놨다. 얼마 안가서 판사인 아들은 여수인가에 있어 손자들을 전부 서울로 보내왔는데 그 손자들 뒷바라지에 할머니인 아내가 골병든다고. 박사인 아들들은 전부 외국에 나가 있어 남보다 못하다고. 영양제도 놔주고 가끔 들여다 봐주는 것은 정성도 안 들이고 지 혼자 큰, 롯데월드에서 간호사로 근무하는 딸뿐이라고 그가 속내를 말했을 때 나는 꼰대의 수치를 조금 내려 조정했을 뿐이었다. 그는 두 달 동안 산휴강사로 온 20대 교사를 못마땅해 했다. 오이릴리 옷을 즐겨 입는 그 강사를 보곤 알록달록하게 옷이 그게 뭐냐고, 걷는데 웬 소리가 그렇게 크냐고 타박했다. 안 듣는 데서 하는 게 그나마 다행이랄까. 어느 날, 수업을 마치고 오니 복도에서부터 시끄러운 소리가 났다. 수석교사와 시간강사가 크게 부딪힌 것이었다. 수석교사는 늘 라디오 볼륨을 크게 틀어놓는 버릇이 있었다. 소리를 거슬려했던 강사가 라디오를 볼륨을 줄였고, 수석교사가 다시 볼륨을 높이고, 강사는 다시 낮추고, 그런 일이 몇 번 반복 돼 다툼이 시작된 모양이었다. "선생님은 저만 왜 못마땅해 하시는 거예요?" 한 치도 물러서지 않고 대드는 강사에게 수석교사도 못지않게 큰소리칠 거라고 나는 생각했다. 그러나 싸움은 성겁게 끝났다. 수석교사는 언제 강사의 험담을 했느냐는 듯이 다정한 목소리로 말하는 것이었다. "에이 내가 선생을(강사를) 못마땅해 할 리가 있나!"만 반복했다. 그 후 나는 그의 태도를 휘어짐의 본보기로 삼았다,

만주 군관학교에 세 민족이 있었더란다. 자기보다 한 수 위인 상대를 만났을 때 각 민족은 대응방법이 다 달랐고. 어떤 민족은 상대에게 흠씬 두들겨 맞고 코피를 흘리며 끌려 나가면서도 "너 두고 보자"며 허세를 잃지 않았고, 어떤 민족은, 햐 그 민족은 가장 좋은 병법인 36계 줄행랑을 친 뒤에 학교가 끝날 때쯤 사돈의 팔촌까지 다 몰고 와 상대방을 흠씬 두들겨 패주었단다. 나는 나중 민족의 태도를 휘어짐의 고수명단에 추가했다.

요즘 한 초등학교 교장 선생님의 태도는 진정 휘어짐의 본보기라 생각된다. 미국에서 살게 된 엄마가 만든 영상이었다. 초등학교에 입학한 딸이 학교에 가기를 싫어하고 힘들어했단다. 엄마는 자기 애가 이상한 걸까? 겁이 나기도 했지만 선생님이 아이에게 너무 무섭게 한다고 생각했다. 교장 선생님을 다짜고짜 찾아갔다. 아이가 학교를 너무 힘들어하는데 혹시 선생님이 문제가 있는 게 아닐까요? 교장에게 일러바쳤다. 참으로 인자했던 그때의 할아버지 교장 선생님은 이렇게 첫마디를 했다.

"아이가 학교 오기 싫어해서 엄마가 얼마나 맘고생이 심하셔요... 우리 애들도 그랬어요. 그때 저도 참 힘들었던 기억이 나네요." 그는 덧붙여 말했다.

"그런데 그 선생님은 아주 좋은 분이며 최선을 다하고 있답니다. 그건 확실해요. 오늘 이야기를 해주어서 너무 고마워요. 듣고 나니 우리가 할 일이 있을 것 같아요. 아이가 행복하게 학교를 다닐 수 있도록 지금부터 저희 모든 선생들이 최선을 다해서 도울 거예요."그 말을 들은 엄마는 그저 펑펑 울었고 교장 선생님은 그저 바라만 봐주었다. 엄마는 그 때 처음으로 위로란 이런 거구나, 공감이란 이런 거구나 느꼈단다. 그저 끄덕여주고 들어만 주는 게 아니라 나를 이해해주고 안정시켜주는 것, 그리고 희망을 알려주는 것임. 그 후로 선생님들이 아침마다 돌아가면서 나와, 우는 아이를 안아주고 업어주며 웃으며 학교로 데리고 가 주었다고. 지금은 그 딸은 고등학교 졸업을 한 달 남겨두고 있다고 했다. 그 교장 선생님에게서 그 누구도 다치지 않고 문제를 해결해가는 것을 배웠다고 했다. 그 영상을 보고 나는 내가 되고 싶은 휘어짐의 고수 명단에 교장 선생님을 맨 위에 올려놨다.

참 그 수석교사는 나에게 또 한 번의 깊은 인상을 남겼다. 국수집에서 만두를 시켰을 때 직원이 그 교사의 어깨에 간장을 쏟았다. 어쩔 줄 몰라 하는 그 종업원에게 그는 웃으며 말했다. "내가 싱거워 보였나보네." 그 순간 그에 대한 내 호감도 지수는 마구 올라가 하마터면 내 휘어짐 고수 명단의 맨 위에 놓을 뻔했다.

김정태

베끼기

그로부터 오는 편지는 왜 그리도 더딘지...
그러나 마침내 우편함 속에 그것은 들어있고
먼 땅의 햇빛, 바람, 그보다는 내 좋아하는 이의 마음이
배어든 보송한 종이 살갖을 두 손바닥 안에 쥐어 들었을 때의
온몸을 저리게 하는 기쁨, 기다림의 나날 헛되지만은 말았으면
배고픈 사람이 음식의 참 단맛을, 눈물 나는 고마움을 알듯이.
어제는 너무 더웠고
방정맞게 "더워, 더워"를 연발하다 멈칫해졌으니
그도 있는데, 아니 숟가락, 젓가락 상처럼 비닐봉지를 식기로 써야
하는 그의 동료들도 있는데 하는 생각에.
나의 그가 그런 곳이 아닌 데서 있는 게 얼마나 다행인가고
속이 좁은 나는 그것만 감지덕지하고.
이젠 더 이상 만나기까지의 기다림을 조바심하지 말아야지
다만 바라는 것은 그의 건강과 안녕뿐
잘 있으시기를.

이 애틋한 글은 내가 중동 사막으로 떠난 그에게 보낸 편지의
일부분이다. 그는 이 글들을 보고는 작가해도 되겠다며 내 글
솜씨에 감탄했다. 진심으로 그렇게 생각했다고 했다. 그런데 어

쩌랴! 그 편지의 8할은 남의 글이었는걸. 김남조 시인의 시집에 쓸 만한 게 많았다. 그렇다. 나는 표절, 모작, 패러디, 샘플링 또는 짜깁기라고도 하는 남의 글 베끼기에 능했고 그 역사는 고등학교 때로 거슬러 올라간다.

겨울이 다가오자 학교에서는 '국군장병 아저씨'들에게 '위문편지'를 써오라고 했다. 매사에 최선을 다하는 나는 위문편지에도 진심이었다. 대학 다니는 언니의 교지부터 뒤진 걸 보면 말이다. 역시나 교지에는 위문편지에 적당한 구절이 눈에 띄었고 나는 그것을 적당히 버무려 엽서 한 통을 채워 제출했다. 그때부터였다. 노총각인 담임, 개인 사물에 자기 이름 안 써왔다고 다 큰 여학생들의 이마빡을 손바닥으로 힘껏 올려붙였던 담임, 그 담임 선생이 언제부턴가 복도 계단에서 만나 인사를 하면 얼굴이 빨개지고 자연스럽지 못한 행동을 보이는 것이었다. 나는 그 위문편지 때문이라는 추론을 했다. 그 편지에 감동을 받아서라고. 그 편지는 이렇게 시작했다.

모가지가 길어서 슬픈 짐승이 넘나든다는 그곳 철원에도 첫눈은 내렸는지요? 이곳 서울엔 벌써부터 구세군 냄비와 군고구마 장사가 보이고 있습니다.

베끼기의 기억은 또 있다. 고 3을 앞둔 봄 방학식 날이었다. 지루했던 방학식이 끝나고 집에 가려고 하니 다른 반 애들 몇 명이 교실 문 앞에서 나를 기다리고 있었다. 고1 때 같은 반이었던 키 작은 정란이가 말했다. 교지에 실린 내 글을 봤다고,

김정태

자기네 문학반에 들어오면 어떻겠느냐고. 나는 그때서야 교지에 내 글이 실린 것을 알았다. 고1 여름 방학 작문 숙제로 써낸 글이었다. 나는 거절했다. 대입 공부를 핑계로 댔지만 그보다 더 큰 이유는 떳떳하지 않았기 때문이었다. 낙서(落書)라는 제목의 그 글은 이웃한 언니 대학교 교지에서 베낀 것이었기 때문이다. 원문이 4~5페이지 정도 되는 것을 1페이지로 줄이고 줄여서 낸 것이었다. 내 생각에 원문보다 간결하니 더 나았던 것 같다. 초야에 묻혀있던 고수를 찾아낸 것 같은 표정으로 간청하던 그 애들에게 베낀 글이었다는 말을 나는 끝내 안했다.

복면을 쓰고 노래 경연대회를 하는 프로그램이 있다. 낮은 음으로 읊조리며 설득하듯 노래하는 한 출연자를 나는 1라운드 때부터 응원하고 있었다. 2라운드에서 그는 센 노래를 불렀다. 그 노래를 부른 원 가수는 허스키한 목소리로, 상처받은 짐승처럼 그 노래를 불렀다. 다른 가수들도 정도의 차이는 있지만 원 가수의 창법을 그대로 따라 그 노래를 불렀다. 그 노래는 원래 그렇게 불러야 하는 법이라도 있는 거 같았다. 그런데 그 가수는 달랐다. 원가수와는 달리 낮은 음성으로 불렀다. 포효하듯이 부르지 않고 애틋하고 아릿하게 불렀다.

노래 경연대회에서 시청자의 마음을 홀딱 빼앗고 우승한 가수들도 막상 자기 노래를 취입한 걸 들으면 "애걔 이 정도였어?" 할 때가 많다. 나도 '하숙생'을 부를 땐 최희준처럼 쉰 목소리를 만들어 불렀고 '누구 없소'를 부를 땐 한영애처럼 사연 많은 여자처럼 부르게 된다. 자기 식으로 한다는 것은 참 어렵다.

그러나 테일러 스위프트의 말이 자꾸 기억이 난다, 그 말에 공감을 해서일 게다. 그녀는 모교 졸업식에서 이제 막 사회에 발 딛으려는 후배들에게 이렇게 말했다.

"무서운 소식은 이제 여러분이 혼자 결정해야 한다는 것입니다. (The scary news is you're on your own now.)

그러나 좋은 소식은 이제 여러분이 혼자 결정해야 한다는 것입니다"(But the cool news is you're on your own now.)

그녀의 말을 들으면서 나는 이렇게 표절해 보았다.

"나쁜 것은 이제 나의 글을 써야 하는 것이다. 그러나 좋은 것은 이제 나의 글을 써야 하는 것이다."

그러나 나는 아직 누구의 아류를 못 벗어난 것 같다. 며칠 전 만난 강우가 칭찬임이 틀림없는 이 말을 했으니까.

"정태 글 재미있어. 꼭 박완서 글 같다니까."

남도 기행

김영주

　지인으로부터 '동백여행사'에 관한 정보를 들었다. 관광명소 탐방은 물론이고 맛기행까지 포함되어 있어 기대 이상이라는 것이다. 하지만 국내 관광버스 여행에는 '묻지마 관광'이라는 부정적 선입견이 있는지라 귀담아듣지 않았다. 그리고 얼마 후 우연찮게 인문학 기행으로 강릉 테마여행을 다녀오게 되었다. 최근에 등록한 문화 센터 수업 프로그램에 있는 일정이었다. 하루를 꽉 채운 일정 가운데, 300년이 넘는 시간을 품고 있는 고택 선교장과, 화려한 빛의 예술인 아르떼 뮤지움 그리고 푸짐하게 차려져 나오는 점심식사는 내 마음을 한껏 부풀려 주었다.

　지인으로부터 들은 '동백여행사' 정보와 '강릉 인문학 여행'에 대한 이야기를 넌지시 남편에게 풀어 놓았다. 그런데 기대 이상으로 빠르게 응답이 왔다. 남편이 주말에 떠나는 남도 맛 기행 상품을 예약하고 톡으로 일정표를 보내온 것이다. "내가 보낸 톡 봤냐?" 하면서 은근히 목소리에 힘을 준다. '주말에 차 밀리면 어쩌려고 그래?' 하면서 잔소리가 목젖까지 올라왔지만 토 달지 않았다.

　출발 전날 밤 부푼 가슴에 좀처럼 잠을 이룰 수가 없었다. 새벽에 일어나 준비를 마치고 약속 장소인 잠실역으로 갔다. 우리 부부 외에는 누가 함께 가는지 모른다. 낯선 사람들과 함께 가는 여행이다. 여행이라는 것이 원래 낯섦과 조우하는 것임을 알지만 살짝 걱정이 되기는 하였다.

남편과 나는 우리를 기다리던 28인승 리무진 버스에 올랐다. 함께 가는 사람들의 연령대는 다양했다. 숏커트를 한 50대 후반의 야무지게 생긴 가이드가 인원 점검을 마친 후 입담 좋게 자기소개를 하였다. 주말이지만 걱정과는 달리 우리가 탄 차는 버스 전용차선으로 신나게 씽씽 달렸다. 말초신경을 자극하는 가이드의 19금 이야기와 지나가는 도시에 얽힌 전설을 듣다보니 차는 어느새 통영에 도착하였다.

차창으로 밀려드는 쪽빛 바다를 바라보며 버스에 있는 여행객들은 모두 환호성을 지른다. 부지런히 통영으로 달려오는 사이 점심식사 시간이 되었다. 버스는 북적대는 식당 앞에 멈추었다. 해산물 일색의 푸짐한 점심을 맛있게 먹고 통영에서 20분 거리에 있는 섬으로 들어가기 위해 배를 탔다. 우리가 들어가는 섬은 만지도와 연대도라고 한다. 이 구간을 하루에 30회 이상 운항하는 이 배의 선장은 우리가 점심을 먹었던 식당의 사장이다. 그는 20여 년 전부터 이 구간의 여행객을 실어 나르며 칼럼도 쓰고 TV에도 출연했던 유명인사라고 한다. 마도로스를 연상시키는 멋진 외모 못지않게 야성의 보이스로 멋을 부린 선장의 화려한 입담은 20분의 운항시간을 웃음으로 꽉 채워 주었다. 배에서 내려 바다를 끼고 도는 섬의 둘레길은 아름다움의 극치이다.

출렁다리로 연결된 만지도와 연대도의 둘레길을 걷는 동안 마음은 청정해지고 바다와 길과, 멀리 보이는 섬과, 나는 마치 하나가 된 듯하였다. 타고 왔던 배를 타고 다시 통영으로 나왔다.

케이블카를 타고 미륵산에 올라 아름다운 한려수도를 내려다보니 내가 반나절 걸었던 섬들은 손바닥만큼 작아졌다.

다시 케이블카를 타고 내려와 가이드가 안내하는 식당에 도착하니 남도 맛 기행의 하이라이트인 회정식이 한상 차려져 있다. 쫄깃하고 달달하기까지한 회의 성성한 식감은 행복 그 자체였다. 황홀한 저녁식사를 마치고 숙소에 도착했다. 허름한 모텔이지만 필요한 것은 다 있다. 내일은 통영에서 한 시간 거리에 있는 아름다운 섬 욕지도로 들어간다고 한다. 7시 배를 타기 위해 숙소에서 5시50분에 출발이다.

발목이 시큰하다. 헬스케어를 들여다보니 16,300보를 걸었다. 뜨거운 물에 샤워를 하고 침대에 무거운 몸을 올려놓았다. 달콤한 피곤함이 기분 좋게 몰려온다. 내일에 대한 기대가 잔잔한 기쁨으로 번지면서 나는 어느새 꿀잠 속으로 빠져들었다.

아무튼, 행복

2년 전 일이다. 직장 선후배들과의 골프 정모가 있는 전날 저녁이었다. 라운딩 준비를 마치고 늘 하는 빈야사 요가를 하였다. 빈야사 요가란 기존의 정적인 요가와는 달리 우짜이 호흡(흉곽 전체 호흡)을 하며 물 흐르듯이 몸을 움직이는 수련이다. 10분만 하여도 땀이 흐를 정도로 칼로리 소모가 많고, 전신 근력과 유연성 향상뿐만 아니라, 혈액순환을 원활하게 하여 우리 몸을 정화시켜 준다고 한다. 이러한 빈야사 요가를 하고 나면 몸이 개운해지고, 코어가 단단해지는 느낌 때문에 평상시에 매일의 루틴처럼 수련을 해왔다.

날마다 하던 동작인데 그날은 햄스트링 쪽에서 뚝하는 소리가 나면서 매트에 주저앉아 버렸다. 통증이 심했지만 늦은 시간이라 병원에도 가지 못하고, 자고 나면 괜찮겠지 하면서 잠자리에 들었다. 아침에 일어나 보니 여전히 햄스트링 쪽에 통증이 전날 저녁과 같은 강도로 욱신거렸다. 골프 모임에 펑크를 낼 수 없는지라 일단 골프장으로 갔다. 같은 팀 선배가 주는 진통제를 먹고 통증이 다소 가라앉아 대충 라운딩을 마쳤다. 집에 오자마자 동네 정형외과를 찾았다. 가자마자 엑스레이를 찍고, 의사를 만났다.

의사가 긴장한 얼굴로 내게 묻는다. 증세가 언제부터 있었나

김영주

고. 나는 답답하다는 듯 큰소리로, 증세가 있었던 것이 아니고 요가를 하다가 햄스트링을 다쳤다고 했다. 의사는 심각한 표정으로 나를 한참이나 바라보았다. 그리고 무슨 말을 해야 할지 잠시 망설이는 듯 보였다. 골반뼈 사진 모양이 좋지 않다고, 아산병원으로 연결시켜 줄 테니 가보라고 한다. 나는 어이없다는 듯

"선생님 무슨 말씀이세요? 저는 매년 삼성병원에서 종합검진을 받아왔고, 그동안 의심되는 소견이 없었어요."

"그래도 한번 아산병원에 다녀오세요. 아니면 다행이구요."

나는 정형외과 의사가 써준 소견서를 가지고 아산병원에 가서 가벼운 마음으로 몇 가지 검사를 받았다.

검사 결과를 보는 날, 긴장은 되었지만 '설마 암이겠어?' 하는 마음으로 의사를 만났다. 종양이 의심되니 입원하여 정밀검사를 받으라는 것이다. 나는 '이게 뭐지? 절대 아닐 텐데. 내가 얼마나 에너지가 넘치고, 건강한데...'

아산병원 상담직원에게 나의 상세한 건강기록차트가 삼성병원에 있으니, 삼성병원으로 가서 정밀검사를 진행하겠다고 했다. 그리고 바로 삼성병원 건강검진센터로 가서 센터장을 만났다. 내 감정을 최대한 절제하며, 이 상황에 대해 즉각적이고 효율적인 조치를 취해 줄 것을 요구했다. 이상소견 없음의 종합검진 결과지와 아산병원 의사의 소견서를 번갈아 보며, 센터장도 몹시 당황하는 기색이었다. 그리고 최대한 서둘러 검사 일정을 잡아 주었고, 결과가 나왔다.

갑상선암이 골반에 전이되었다고 한다. 설마 했는데... 받아들일 수 없지만... 21년 9월 동네 정형외과 의사의 초진으로부터 검사에 검사를 거듭한 후, 22년 9월 갑상선 전절제 수술을 받았다. 수술하고 한 달 후, 차폐실에 갇혀 방사성동위원소 치료를 받았다. 동위원소 치료 후 수치가 훅 내려갔다가, 수치가 다시 올라 골반 쪽에 방사선 치료를 해야 한다고 한다.

방사선 치료 전에 방사선을 조사할 부분에 사인펜으로 표시를 해 주었다. 문제는 표시가 지워지지 않도록, 치료가 끝나는 일주일 동안 샤워는 안 된다고 한다. 일주일 동안 샤워를 하지 말라는 의사의 말에 처음에는 당황하였지만, 막상 하루 이틀 시간이 지나면서 견딜 만하였다. 매일 저녁 8시에 병원에 가서 10분간 방사선을 쪼이고 나오는데, 어떤 물리적인 느낌은 없었다. 그러나 치료받는 동안 기분은 한없이 저조했고, 피곤함으로 인한 무기력이 내 몸 전체를 무겁게 만들었다. 낮에는 원래 있던 스케줄대로 움직였고, 저녁에는 병원에 가는 패턴으로 일주일 동안의 치료를 모두 끝냈다.

마지막 방사선 치료를 끝내고 집에 오자마자 따뜻한 물에 샤워부터 하였다.

아주 오래오래 그리고 천천히. 따뜻한 물줄기가 내 몸 구석구석에 닿자마자 기분 좋은 안락함으로 빠져들었다. 이 세상의 행복이 온통 나에게 집중된 느낌이었다.

'결과는 하늘에 맡기자. 인명은 재천이니까ㅎㅎ'

나는 이 편안하고 안락한 기분 좋음을 오랫동안 누리고 싶었

김영주

다. 사는 것이, 행복해지는 것이, 그리 어려운 과제는 아니라는 생각이 든다. 사소한 구속에서 자유로워지는 것만으로도, 이렇게 감사가 넘치는 행복감에 충만해질 수 있다니 말이다.

여전히 내 앞에는 빛나는 시간들이 미래로 미래로 길을 열고 있다.

안병옥

내 아버지
달콤한 인생

김영순

콩 선생
단감 땡감

사람마다, 뒤를 돌아다보면 모자이크로 된 작품 하나씩 따라오고 있다는 걸 최근에야 알았다. 그 조각조각의 빛깔은 삶의 궤적에 따라 다르지만 모두가 알록달록한 예술품의 냄새를 풍긴다. 이제야 나는 내 나이까지 걸으며 만들어진 내 빛깔의 모자이크를 어렴풋이 그려낼 수 있을 것도 같다.

-달콤한 인생-

어릴 때 물 항아리에 던져 놓았던 땡감 맛을 떠올린다. 땡감은 온 입안에 떫은 막을 입혀 뱉어 버리고 싶은데, 물속에서 일주일 동안 숙성된 단감의 맛은 입안을 달콤함으로 물들게 했다. 아마 나는, 부는 바람에 떨어지는 설익은 땡감이었고 언니는 물속에서 잠자고 있던 깊어진 단감이었던가.

-단감 땡감-

내 아버지

안병옥

－아버지가 죽었다. 전봇대에 머리를 박고. 평생을 정색하고 살아온 아버지가 전봇대에 머리를 박고, 진지 일색의 삶을 마감한 것이다. 참으로 아버지답게.－

정지아의 '아버지의 해방일지' 첫 문장을 읽으면서, 나도 그녀의 문장으로 흉내내 쓰고 싶은 충동이 일었다.

－아버지가 죽었다. 드라마 속 미인들을 보다가. 평생을 벽에 붙여놓은 여배우를 흠모하던 아버지가 탐미주의의 삶을 마감한 것이다. 참으로 아버지답게.－

<S#(마지막 장면) 거실이 보이는 부엌>

> 거실의 TV에선 주말드라마 '청실홍실'이 방영되고 있다. 식탁에 앉은 아버지, 그 곁에서 식사를 거들던 어머니에게 낮 시간에 있었던 친구의 딸과 친구의 아들을 소개해 준 맞선 후일담을 늘어놓고 있다.
> 아버지: 내 보기엔 지 아들보다 나음 나았지 못한 구석이 없던데, 뭐 그리 눈이 높은지...
> 상추쌈을 입에 넣은 아버지가 거실 TV를 향해 고개를 살짝 돌리고 있다. 어머니는 상추쌈 하나를 손에 들고 있다.
> 어머니 (아버지를 툭 치며): 얼른 들고...
> 아버지 (스르르 옆으로 넘어진다.)

유언 한마디 남기지 못한 아버지의 마지막 말은 남의 자식 혼사 문제였다. 그리고 아버지의 눈에 담고 간 마지막 얼굴은 드라마 속의 정윤희나 장미희였을 것이다. 오지라퍼 아버지답게, 미인에 목숨 거는 아버지답게 그렇게 떠나셨다. 쉰하나의 젊은 이로.

예쁘다와 못생겼다를 아버지만큼 입에 많이 올렸던 사람을 본 적이 없다. 아버지에게, 딸인 내 외모는 당연히 후자였다. 이분법적인 아버지에 비해 '해방일지'의 아리 아버지는 훨씬 합리적인 기준이 있었다. 9등급으로 나누어 아리의 외모 평가에 下上을 주었다. 그런데 중요한 건 아리의 아버지에게 외모는 고명이었고, 내 아버지에게 외모는 메인이었다.

아버지의 외모 기준은 늘 여배우였다. '도금봉 같이 이쁘더라' '이빈화 같이 늘씬하더라' 이런 식이었다. 해마다 신년 초가 되면 아버지는 여배우로 채워진 달력을 가져와 벽에 걸어두는 건 물론, 틈나는 대로 화보를 보듯 넘기며 그녀들의 미모에 경탄을 아끼지 않으셨다. 지방의 소읍에서는 최고의 멋쟁이였던 아버지는 당신의 외모에도 신경을 써, 하얀 얼굴에 있는 주근깨를 감추려고 엄마가 도랑이라 불렀던 파운데이션을 혼자 쓰다시피할 만큼 외모를 가꾸셨다. 옷장은 아버지의 옷과 모자로 채워졌음은 물론이다.

아버지와 나 사이의 벌어진 틈도 아마 아버지의 눈높이에 턱없이 부족한 내 외모가 시발점이었을 것이다. 바깥으로 나돌아 새까맣고 꼬질꼬질한 내겐 '누굴 닮아서...'를 입에 달고 사셨다.

'쟈를 무릎에 한번 앉힌 적 있습니까?' 하던 엄마의 원망 섞인 소리를 들은 적도 있고, 손 한번 잡혀 본 기억이 없는 나도, 아버지를 부끄럽게 만드는 존재가 나란 걸 자연스럽게 받아들이고 있었다.

기억이 점점 또렷해지는 이 장면은 나를 내친 아버지의 대표 샷 쯤 될까? 집을 떠나 이모와 함께 살던 때였다. 6학년 수학 여행 가는 날 아침의 일이다. 그 전날 마침 아버지께서 대구로 출장을 오셨다. 이모는 담임께 인사도 할 겸, 대구역 집합 장소 까지 나를 데려다 주라고 하셨다. "부녀가 손 꼭 잡고 댕기오이 소.." 이모의 이 말을 듣는 순간, 아버지에게 잡힌 내 손을 떠올 리며 어쩔 줄 몰라 하는 나를 아래위로 훑어보던 아버지는 '애 옷이 촌스럽게 이게 뭐냐'고 잔소리를 하셨다. 새로 사 입은, 초록색 티셔츠에 검정색 멜빵스커트의 옷을 입은 (내가 제일 싫어 하는 색 조합이 돼버렸다.) 나를 데리고 마지못해 집을 나서는 아버지의 표정은 잔뜩 구겨져 있었다. 짙은 색 양복을 말끔하게 차려입은 아버지의 멋진 모습에 비해 초라해 보이는 나는, 왠지 죄를 지은 듯 느껴져 부끄럽고 미안한 마음으로 멀찌감치 떨어 져 따라 걸었다.

이상한 건 그리 멀지 않은 역전 가는 길 위에서, 내 아래위를 훑어보던 아버지의 못마땅한 눈길은 그즈음 아버지가 대구에 올 때면 만난다는 마까오라는 기생 애기와 함께 떠오른다는 거다. 아마도 그때, 마뜩잖은 나를 보내고 예쁜 마까오를 만나 활짝 웃는 아버지를 그렸을지도 모르겠다. 도지사가 목매는데도 꿈쩍 하지 않고 아버지께 순정을 바친다는 애기를 자랑스럽게 늘어놓 으실 때도 밉거나 화가 나기는커녕 소설 속의 아름다운 주인공처럼 숭배하는 마음마저 들었다. 무엇보다 얼굴도 모르는 마까오는 그 곁의 아버지로 인해 그 시절 자연스럽게 내 동경의 인물이 되기도 했다.

아무튼 내 아버지와 내가 있는 풍경의 대부분은 이랬던 것 같다. 얼핏! 자랑스러우면서도, 진심! 무섭고, 주눅 들어 싫었던….

아버지의 목 위에서 등허리가 흠뻑 웃어젖힌 아리, 낮잠에서 깬 아리를 지각이라며 놀리고, 힘껏 페달을 밟고 학교로 내달려주던 장난스런 아버지, 뿔이 난 아리 손에 홍옥 한 알을 건네주던 아버지, 아리가 좋아하던 누룽지를 두툼하게 눌러 공처럼 말아 손에 쥐어주던 아버지…. 치자꽃 향기와 산들거리는 가을바람과 함박눈과 총총한 반딧불이를 함께 즐긴 아리와 아버지를 읽는 대목에서 엉뚱하게도 나는 눈물이 났다. 그 장면이 아름다웠고, 온몸에서 꿀이 떨어지는 아버지와 알콩달콩 보낸 시간들이 무엇보다 부러웠다. 下上의 얼굴이란 아버지의 놀림에도 아리가 유쾌할 수밖에 없던 이유가 고스란히 담겨있는 풍경이다.

어떤 딸인지, 어떤 딸이어야 하는지, 생각해보지 않았다는 아리처럼 나도 내 기준에 맞춘 아버지와, 아버지로서의 자식에 대한 의무만 기대했을 뿐, 어떤 딸이었을까, 어떤 딸이어야 했을까에 대한 고민은 시도조차 해보지 않았다는 생각이 들었다. 불미스러운 일로 공직을 떠나며 승승장구하던 아버지는 힘이 빠졌고, 나는 성장해 어른이 되자 그 힘의 세력이 자연스럽게 내게로 왔다. 뒤늦게 가까이 다가오려 한 아버지를 내치며 조목조목날을 세우며 외면했다. 남들 앞에서 헤죽헤죽 잘도 웃는 딸이란 것도 모른 채, 아버지는 어느 날 갑자기 쓰러지셨다. 사흘 뒤

영면에 드는 날까지 든 생각은 슬픔과 황망함보다는 혹시 다시 깨어나시면 어쩌나 하는 조바심으로 일관되어 있었다.

아, 어쩌면 나는, 마지막 길에서의 이런 못된 마음과, 화해의 손을 내민 아버지를 받아들이지 않은 죄스러움을 합리화하려 오랜 세월 그 미움을 부여잡고 있었는지도 모르겠다.

운명하시기 몇 달 전, 한밤중에 끙끙 앓고 있는 내 이마를 짚어보던 아버지의 처음이자 마지막 손길(난 잠든 척, 모른 척 했다), 공직에서 밀려나고 한 번 쓰러진 후, '혹시 내가 어찌 되면 네가 옥이를 책임져 달라'며 작은아버지께 내 앞일을 은밀하고도 간곡하게 부탁했다는 것(나중에 전해 들었다. 유일하게 사랑을 쏟던 막내가 아니라 나였다고?). 내키지 않아 꽁꽁 싸매놓았던 이 두 가지를 이젠 풀어 놓고, 젊은 아니 나보다 훨씬 어린 아버지와 뒤늦은 담판을 지어본다.

우선 이 질문부터.

"아버지, 제 얼굴은 下上은 넘나요?"

달콤한 인생

 사람마다, 뒤를 돌아다보면 모자이크로 된 작품 하나씩 따라 오고 있다는 걸 최근에야 알았다. 그 조각조각의 빛깔은 삶의 궤적에 따라 다르지만 모두가 알록달록한 예술품의 냄새를 풍긴 다. 이제야 나는 내 나이까지 걸으며 만들어진 내 빛깔의 모자 이크를 어렴풋이 그려낼 수 있을 것도 같다.

 책꽂이 한구석에 꽂혀있던 직사각형 비디오테이프, 그 속의 정체를 궁금해 하던 아들이 어느 날 쓸모없어진 테이프를 USB 로 변환해 담아 왔다. 컴퓨터 화면이 켜지자 저절로 환호가 터 져 나왔다. 1990년 7월의 여름날, 긴 파마머리를 한 가닥으로 느슨하게 땋아 내린 서른 중반의 내가 인디언 핑크빛의 꽃무늬 티셔츠에 헐렁한 회색 바지를 입고 등장한다. V를 그리는 손 옆 으로 보이는 셔츠의 목둘레 주변이 축 늘어져 있다. 곧이어 카 메라는 부엌으로 방향을 바꿔 개수대 앞에 서 있는 뒷모습의 여 인을 비춘다. "장모님, 여기 보세요." "아이구, 찍지 말게, 뒤숭 숭한 모습 남겨서 뭐할라꼬…." 뒤를 돌아보지 않고 들리는 목소 리, 엄마다, 엄마 목소리다. 전율이 이는 것도 잠깐, 수줍음이 잔뜩 느껴지는 뒤태의 엄마를 내가 가서 억지로 돌려세운다. 손 으로 머리를 만지며 돌아서는 엄마, 낯설다. 내 머릿속의 엄마는 저보다 훨씬 예쁜데. 젊은 나는 또 왜 저리 우중충한가? "애가..참..이러고 있는데 찍을라카노…." 민망해 하면서도 카메라를 잠시 쳐다본다. "나중에 다 기록으로 남습니다."

그때 유행하던 캠코더를 사서 남편이 첫 시험 촬영을 한 것이다. 잠시 기억의 왜곡이 당황스러웠지만, 박제된 채 내 깊은 곳 어딘가에 박혀있던 오래 전의 그날이 살아 움직이며 내게 다가오는 것이었다. 무엇보다 흥분되었다.

다음 편에 이어진 영상의 첫 장면은 클로즈업 된 달력의 큰 글씨다. 시아버님의 생신날이다. 싱크대 앞에서 분주히 움직이는 내 뒷모습이 보인다. 다음 앵글은 연신 요리 접시를 나르고 있는 동서와, 둥근 식탁의 음식을 하나하나 천천히 비추고 있다. 4색모둠나물, 샐러드, 해파리냉채, 잡채, 동그랑땡, 육전, 갈비찜…. 그리고 카메라는 돌아 거실에 죽 둘러앉은 여남은 명의 식구들을 비춘다. 시아버님 양옆에 바짝 붙어 앉아 다정한 말을 나누고 있던 두 시누이가 카메라를 보며 활짝 웃어준다. (영상에 나와 있는 몇 년 동안의 우리 집 모임은 거의 같은 풍경이다.)

영상은 주로 집안의 생일 모임에 맞춰져 찍은 관계로, 나는 늘 부엌에서 분주하게 움직이는 뒷모습, 옆모습만 찍혀 있었다. 그 무렵 김씨 집안 모든 남매의 생일 모임은 우리 동네의 식당이었고, 뒤풀이는 무조건 우리 집에서였다. 먼 나들이와 외식을 싫어하는 시아버님을 위한 배려가 내 고생으로 이어진 것이다. 곁에서 함께 보고 있던 남편이 "당신, 지금 보니 진짜 고생 많이 했네." "정말! 완전 인증샷이야. 저 때 평생 할 일 다아 해서 지금 난 팽팽 놀아도 돼. 저 때 팽팽 노는 시누이들 봐봐." 의기

양양하게 화답한다. (물론 기본은 전날 엄마의 도움을 받았었겠지만) 믿기지 않을 만큼 풍성하게 차려진 식탁을 보며 저 많은 것들이 내 손을 거쳐 차려졌구나, 새삼 놀라며 그동안 그 사실조차 잊고 있었다. 온갖 게으름으로 빈둥빈둥 지내는 지금의 내가 용서되는 장면들이 반갑기도 했지만, 영상 속에서 고군분투하는 어린? 나를 안아주고픈 짠한 마음도 들었다.

　보물 같은, 나와 우리 가족의 30여 년 전의 영상 속에서의 시간들은 내게 잿빛이었다. 눈을 감고 그 회색빛 나날들 중 아침의 한 장면을 떠올려 본다.

　시집 식구들과 살림을 합친 며칠 후, 아침 밥맛이 없으니 누룽죽(누룽지로 죽을 만든)을 끓여달라는 시아버님의 첫 요구가 있으셨다. 당연 누룽지를 끓이란 애긴 줄 알고, 이웃에 사는 엄마에게 누룽지를 부탁해 가져와 끓였더니, 수저로 밀어내면서 대학까지 나왔는데 누룽죽 하나 못 끓이냐며 타박을 하셨다. 말씀이 짧으신 시아버님의 누룽죽 끓이기 설명에 고개를 갸웃거리자, 결혼해 분가한 시누이에게 물어보라는 거다.

　시누이 레시피대로의 누룽죽은 40여 분이 소요됐다. (1.보리쌀을 섞은 밥을 냄비 바닥에 얇게 가지런히 펴놓고 약한 불에서 짓이긴다. 2.자작자작하며 냄비 바닥에 들러붙을 때까지 밥알을 으깬다. 3. 노릿하게 굳으면 위에 물을 부으며 숟가락으로 부드럽게 만들면서 옆으로 밀어내 놓고, 빈 쪽 바닥에 다시 1.2를 반복하며 어느 정도 양이 될 때까지 누르고 문지르고를 계속하여 만들어진 부드러운 누룽죽을 강된장과 함께 상에 놓는다.) 몇 번의 시행착오 끝에 누룽죽은 성공했지만, 무엇보다 6시까지 대령해야 하는 이런 아침상은 분초를 다투는 내 출근길을 몇 달

간 지옥으로 만들었다. (몇 달 후, 성남모란시장을 구경 갔던 시아버님은 개 한 마리를 사 오셔서 또 기절초풍하게 만들었지만, 개 곰국을 아침상으로 바꾼 이후로 내 일은 가벼워졌다.) 대학 나와 누룽죽도 못 끓이는 며느리란 말을 받아, 대학 나와 선생 하는 며느리를 학대한다며 엄마는 시아버님의 누룽죽 타령을 성토하셨다. 부당한 이 희생을 항변 한번 하지 않고 감내한 건 지금 생각해도 이해가 안 가지만, 어떤 상처도 억울함도 내게 남아 있지 않은 걸 보면 그 희생에 충분한 댓가를 받았기 때문인 것도 같다. 많은 보상도 필요 없다. 지나온 시간의 쓴맛은 훗날의 달달한 한 장면만으로도 덮이게 마련이다. 고달픔 뒤에 오는 달콤함은 모든 걸 품어 안는다. 회색 빛 뒤의 오렌지 빛 얼마나 고운 조화인가?

아침 7시에 맞춘 알람 소리에 눈을 뜬다. 밤새 온 메시지가 있나 확인 후, 일단 유튜브로 내가 좋아하는 방송의 볼륨을 키운다. 제대로 된 운동일까 싶지만 온몸을 비비적 허우적거리며 비몽사몽간의 아침 운동을 한다. 뒹굴뒹굴하면서 누군가와 통화도 하고, 톡방의 댓글에 답도 달고, 저쪽 방에 있는 남편과 큰 소리로 애기를 주고받기도 하는 두어 시간 동안 나는 침대와 한몸이 돼 있다. 아직도 누워있어? 하는 사람들도 많지만, 내가 좋아하는 편안한 휴식의 행복한 시간이다. 이런 꿀맛 같은 아침은 새벽잠을 설쳤던 내 젊은 날의 분주한 아침을 기억하는 한 행복할 수밖에 없다. 내 식대로 내 구미에 맞춰 굴러가는 오직 내 시간들이라니.

얼마 전, 짝 맞추기 TV 프로그램에 전문직의 유능한 젊은이들이 등장했다. 청춘답게 밝고 활기차고, 무엇보다 매사에 당당

안병욱

한 모습이 멋졌고 부러웠다. '지금 제일 큰 소망 하나는?'이라는 질문에 대한 답변으로 모두가 공감하고 엄지를 치켜든 답은 '한 달만 휴가를 받아 푹 쉬면서 하고픈 걸 해보는 것'이라 했다. 의외의 답이라 생각하고 잠시 돌이켜 보니, 내 젊은 시절의 꿈도 그와 다르지 않았다는 걸 생각해냈다. 맞다. 나는 지금 지나간 젊음의 생동감과 사회 속의 중심축이 돼 있는 그들을 부러워하지만, 그들이 꿈꾸는 미래는 바로 지금의 나다. 그들이 소망하는 꿈같은 시간을 지금 내가 보내고 있구나, 결국 젊음의 시간이란 이런 꿈을 이루기 위해 애쓰는 시간이구나, 하는 생각에 미치자 나이듦 만으로도 마치 승자가 되는 기분이 되었다. 하기 싫은 일을 하지 않고, 내가 꾸려가는 시간으로 하루를 보낼 수 있음만으로도 황혼의 인생은 달콤하다. 그래서 지금 내 아침은 누가 뭐래도 달콤한 오렌지 빛깔이다.

콩 선생

김영순

    날이 추위서인지 빗질을 하면 머리카락이 한 움큼씩 빠진다. 빠진 머리카락이 아까워 버리지 못하고 머뭇거리다 머릿속 하얀 부분을 애써 메꾸어 본다. 내가 이렇게 머리숱에 신경을 쓰는 이유는 부모에게 받은 유전자는 나이가 들수록 더욱 발현돼 부모를 그대로 닮아가게 만든다 믿기 때문이다.

    풍성한 머리결과 출중한 외모를 지니신 아버지는 육십 대 후반에 대머리가 되셨다. 가발도 써 보고 모자도 써 보셨지만 머리칼이 풍성한 젠틀맨 아버지의 모습은 더이상 찾기 어려워졌다. "어허허 어허허" 하시며 거울을 바라보다가 나와 눈이라도 마주치실 때면 머리인지 이마인지를 가리시며 방으로 들어가셨다. 지금 생각해보면 '어허허' 소리는 아버지의 슬픈 곡소리였다. 난 더이상 내 머리를 방치하면 안 된다는 생각에 콩으로 만든 샴푸를 사고 밥은 콩밥으로 바꾸고 콩자반도 만들기로 했다.

    콩 봉지를 살짝 뜯어 그릇에 담으려는 순간 엎어진 그릇 속의 콩들이 사방으로 흩어졌다. 흩어진 콩들을 줍다 보니 불현듯 머리가 벗겨진 영어 선생님이 떠올랐다. 중1 때였던가? 그때까지 난 큰 키 덕분에 늘 뒷자리에 앉았다. 영어 시간 첫 수업, 선생님은 자그마한 키에 머리는 이대 팔로 포마드기름을 발라 어디가 머리인지 이마인지 모를 반들반들 윤이 나는 얼굴을 가진 분이었다. 겨우 알파벳을 외웠을 뿐 익숙치 않던 발음으로 나는 영어 시간만 되면 주눅이 들어 힘겨워했다. 문제는 이 선생님은 내이름을 수시로 불러 대는 거였다. "맨 끝에 앉은 영순이 교무실가서 출석부 갖고 온나" 수업 중엔 "영순이 물 한잔 교탁에 갖다놔라" 분필이 떨어져도 꼭 나를 불렀다. 반장도 있고 당번도 있는데 항상 저 끝에 앉은 나만 부르셨다. 반 애들은 분명 선생님부인 이름이 영순일 거라고 너는 개명을 해야 한다고 놀려 댔다.

어느 날부터인가 선생님은 수업시간에 조그마한 복주머니를 들고 오셨다. 복주머니 속에는 숫자를 붙여 놓은 검정콩이 가득했다. 영어 수업이 있는 날에 그 복주머니가 그날의 재수요 또는 불행이었다. 여섯 일곱 명 정도 칠판 앞에 서서 숙제로 달달 외워온 단어 시험을 보았는데 열 개의 단어 중 일곱 개 정도를 맞으면 통과시켜 주시고 그 이상 틀린 사람은 틀린 숫자만큼 손바닥을 맞았다. 나라고 피해 갈 수는 없었다. 선생님은 콩 주머니를 휘휘 저으시더니 "오늘은 6번이다" 하셨다. 나는 56번이었고, 결국 칠판 앞에 섰다. '열 단어 중 일곱 단어만 통과하면 손바닥을 맞지 않는다' 나름 머리를 굴려 짧은 단어는 외우고 긴 단어는 손바닥에 몇 자 적어 놓았다. 지금도 잊히지 않는 단어 'address' '주소'. 분명 손바닥에 적어 놓았는데 긴장감에 흐른 땀 때문인지 무슨 알파벳인지 모르게 잔뜩 번져 있었다. 나는 다섯 단어만 통과했고 선생님께 그대로 손바닥을 보였다. "영순이는 손바닥에 때가 많이 끼어 있네." 하시며 내 손바닥에 회초리로 선생님은 한 획을 그어주셨다.

우린 모두 콩 주머니가 없어지길 바랄 뿐 실제로 없앨 방법은 없었다. 나름 열심히 외우고 연습도 했건만 교탁 앞에만 서면 머리가 왜 하얘지는지 답답하기만 했다. 선생님은 영어를 잘할 수 있는 방법은 영어사전을 한 장씩 달달 외우고 한 페이지가 끝나면 뜯어 삼키면 평생 그 단어는 잊혀지지 않는다고 하셨다. 본인께서 공부한 방법이라고 열심히 하라시며 수업을 마치셨다. 그날 우리는 영어 공부를 열심히 하자는 이야기보다 종이를 먹고 살 수가 있나가 화두가 되었다.

나는 언니의 전유물이었던 값비싼 영어사전을 화장실을 갈 때마다 끼고 다녔다. 한 장을 다 외우기란 쉬운 일이 아니었다. 혹시 하는 마음에 한 장을 찢어 작게 나눈 다음 입에 넣어보았다. 아무 맛도 없었지만 쓴 맛이 옅게 났다. 단어 맛이 쓴가 하며 삼키려 했지만 목구멍에 걸려 결코 넘기질 못했다.

우리는 모든 걸 포기하고 단어와 씨름하며 영어 시간이 익숙해질 무렵 선생님은 회초리로 교탁을 내리치시며 "영순이 콩주머니 못 봤나?" 콩주머니가 없어졌다며 선생님은 노발대발하셨다. 그날 아침 나는 주번으로 선생님 책상을 정리하다 콩주머니를 만지작거렸다. 내 속 깊이 버리고 싶은 마음이 간절했기에 쉽게 대답할 수 없었다. 선생님의 콩주머니는 그날 이후 사라졌다. 하지만 콩주머니를 대신해 날짜와 시계 바늘의 숫자에 맞추어 번호가 불리는 힘든 단어 시험은 계속되었다.

여기저기 흩어진 콩을 주워 물에 불려 밥도 앉히고 콩장도 만들었다. 콩의 단백질이 나의 머리카락을 풍성하게 만들어 주길 간절히 바란다. 아마도 영어 선생님께서도 나와 비슷한 마음으로 항상 콩주머니를 가지고 다니시던 것은 아니셨을까?

단감 땡감

미세먼지로 뿌옇던 하늘이 오늘은 청량하다. 창가에 서서 흐르는 호수를 바라보니 지나간 시절들이 빨리도 흩어지는 것을 느낀다. 얇은 커튼 사이로 퍼지는 빛 때문일까? 햇살 좋은 거실이 휑하다. 인생은 왜 이리도 쓸쓸한지 답답하다. 텅 빈 집을 이리저리 휘젓고 다니다 책상에 놓인 큰딸 결혼식 사진 속 내 얼굴에 눈길이 멈춰진다. 어쩜 피는 못 속인다더니. 닮아도 너무 닮은 우리 자매들이다. 자매들의 얼굴을 뚫어지게 보다가 큰 언니에게 전화를 걸어 본다. 별일 없냐고 물으니 "왜? 별일 있으면 좋겠냐?" 하면서 손자 유치원 보내야 한다며 전화를 뚝 끊어버린다. 그럴 수 있다고 나를 달래며 잠깐 망설이다 다시 전화를 걸었다. 최대한 감정을 누르고 무슨 일 있냐고 묻자 "야, 너 한가하냐?" 하며 또 전화를 끊어 버린다. 한순간에 감성이 와르르 무너진다.

지금이야 아이들 대부분이 각자 자기 방에서 편하게 지낸다지만 여섯 형제 사이에서 나만의 공간은 꿈도 못 꾸던 시절이 있었다. 그래도 그 시절 우리 자매는 두 명이서 한 방을 나눠 쓰니 부모와 형제들이 함께 지내는 주변의 친구들보다는 여유로웠다. 언니와 나는 늘 한 방에서 같이 지냈는데 언니는 자기 방이라고 방바닥에 자기 쪽만 넓게 줄을 그었고, 나에게는 삼분의 일 정도의 공간만 남겨주었다. 난 언니가 있건 말건 삼분의 일의 공간만큼은 내 방으로 마음대로 다니고 편하게 지냈다. 방을 넓게 차지한 언니는 뭐가 그렇게 바쁜지 왔다 갔다 하며 나 때문에 아주 못 살겠단다. 방을 완벽하게 정리정돈하고 책 보기를 좋아했던 언니와는 달리 나는 만화책을 빌려 방에 던져 놓고 양말은 언니 구역으로 밀어 놓으니 내가 어떻게 예쁘겠는가?

그날 밤 아버지께서 언니와 나를 부르셨다. 이미 언니와 내통을 하신 뒤라 내 속상한 마음은 안중에도 없이 언니한테 버릇없이 행동한다며 사과를 하라고 하셨다. 나는 장승처럼 서서 입이 떨어지질 않았다. 아버지가 회초리를 방바닥에 탁탁 두드리자 언니는 얼른 무릎을 꿇고 잘못했다고 싹싹 빌었다. 아버지는 언니에게 너는 괜찮다며 바로 앉으라고 하고 내 잘못을 인정하라고 하셨는데 뭘 잘못했는지 난 지금도 잘 모르겠다. 무조건 잘못했다고 빌던 언니가 바보 같고 유치했다. 오기를 부리며 장승같이 서 있는 나의 종아리를 아버지는 회초리로 사정없이 내리치셨다. 엄마가 그만하라고 아버지의 회초리를 빼앗았다. 잘못했다고 한마디만 하면 될 걸 나보고 독하다며 속상해하셨다. 언니만 예뻐라 하는 아버지가 미웠다.

그날 밤 도저히 언니와 같은 공간에서 숨을 쉴 수가 없어 베개를 들고 마당을 서성이다 넷째와 다섯째가 함께 쓰는 방으로 건너갔다. 언니와 내가 쓰는 방보다 작은 방에 잠들어 있는 동생들 사이로 비집고 들어갔다. 가운데 자리에 누워 잠을 청하였으나 억울함에 이리저리 뒤척이자 넷째가 불편하다며 언니 방으로 돌아가란다. 여기서 더이상 싸우면 나만 불리해지는 것을 알기에 방을 빠져 나와 다시 서성거리다 감나무 밑 계단에 걸터앉

김영순

았다. 한밤중에 내가 마당에 혼자 나와 있는 데도 누구 한 명 관심도 없었다.

아버지께서는 우리들 중 누구 한 명을 염천교 다리 밑에서 데리고 왔다고 자주 놀리셨다. 과연 누구일지 궁금해 하면 가장 말 안 듣는 놈이라고 농담을 자주 하셨다. 그 아이가 혹시 내가 아닐까? 별을 바라보며 울었던 기억이 난다. 춥고 무서워 일어서려는데 바람에 조그마한 땡감이 머리 위로 떨어졌다. 몇 개를 주워 물 항아리에 던져 넣고 안방으로 들어가 엄마 발밑 아랫목에서 쪼그려 잠이 들었다.

그해 여름 방학 때의 일이다. 땡볕에서 아침부터 친구들과 놀고 있는데 언니가 자기도 같이 놀자고 끼어들었다. 공부는 몰라도 노는 것은 내가 대장이라 친구들은 내 눈치를 살폈다. 짝이 안 맞아 안 된다고 단호히 말하자 옆에서 한참을 서성이다 언니는 사라졌다. 난 반나절을 넘게 신나게 놀고 있는데 점심을 먹으라는 엄마의 목소리에 집으로 돌아갔다. 점심을 먹으며 언니가 집에 없다는 걸 알아챘지만 모른 척했다. 석양으로 해가 넘어가 점점 어두워지는데 언니는 집에 돌아오질 않았다. 집안은 난리가 났다. 아버지는 파출소에 연락을 하고 우리는 동네 구석구석을 찾아보았으나 언니는 없었다. 넷째가 작은 언니랑 논다고 나갔는데 못 봤냐고 묻는데 덜컥 겁이 났다. 설마 나 때문에 집을 나갔나? 걱정과 불안함으로 안절부절못하고 있는데 서울역 파출소에서 아버지께 연락이 왔단다. 서울역에서 우리 집은 여섯 정거장의 거리로 먼 길이었다. 서울역에서 만난 그 때의 언니 모습은 가관이었다. 땀과 콧물로 얼룩진 얼굴과 헝클어진 머리, 옷은 구정물로 알록달록하고…. 식구들 모두가 놀라 아수라장이었는데 언니는 순경 아저씨가 주신 빵을 먹으면서 눈만 껌벅이고 있었다. 왜 여기까지 왔냐고 묻자 언니는 염천교 다리

에 누가 살고 있는지 궁금했다고 한다. 평온한 언니와 달리 난 혹시나 내 이야기를 할까봐 하얗게 겁에 질려 있었다. 그렇게 이십 대까지 같은 방을 쓰면서 내 바램은 나 홀로 방을 쓸 수 있도록 언니가 결혼을 빨리 하는 것이었다.

세월은 흘러 요즘 언니와 나는 각자의 생활이 아닌 자식들 문제로 서로 부딪힌다. 그러면 한 달 이상을 만나지 않을 때도 있고, 남편들이 없을 때는 밤을 같이 보내기도 한다. 그럴 때는 언니 옆 동에 살고 있는 넷째와 함께 소주 한잔으로 어릴 때 우리들 이야기를 소환한다.

나는 언니한테 "아버지 매가 그렇게 무서웠냐? 맞지도 않았는데 납작 엎드려 싹싹 빌게?" 언니는 쓴 소주를 홀짝이며 "너는 잘못했어요, 한마디만 하면 될 걸 그 매를 다 맞냐?"하며 눈을 흘긴다. 그런 언니에게 나는, 아버지는 언니밖에 안 보였다고 말하며 나이가 들어도 그때의 서운함에 눈물이 맺혔다. 언니는 "야! 너는 너를 보면 도망가는 자식이랑 좋아서 달려오는 자식 중에 누가 더 예쁘겠냐? 아버지도 똑같은 마음이셨겠지." 그 말에 넷째가 한마디 거든다. "언니는 모르지? 아버지가 언니 혼내고 감나무 밑에서 담배 피우시며 속상해하셨던 거? 하여간 작은언니 고집 센 거 보면 뭐가 되도 크게 될 줄 알았는데 되긴 뭐가 돼" "그래서 난 지금 잘살고 있잖아." 넷째 이마에 꿀밤 한 대를 때리며 마음을 내려놓는다. 나는 언니에게 왜 염춘교 다리 밑에 갔냐고 묻자 언니는 정말 말 안 듣는 너를 주워 왔으면 어

김영순

떻게 해야 하는지 언니로서 두렵고 겁이 나 확인하러 갔다고 했다.

언니의 말에 어릴 때 물 항아리에 던져 놓았던 땡감 맛을 떠올린다. 땡감은 온 입안에 떫은 막을 입혀 뱉어 버리고 싶은데 물속에서 일주일 동안 숙성된 단감의 맛은 입안을 달콤함으로 물들게 했다. 아마 나는, 부는 바람에 떨어지는 설익은 땡감이었고 언니는 물속에서 잠자고 있던 깊어진 단감이었던가.

이용욱

막걸리
꼭꼭 숨기

곽인희

냉장고 청소
재미있는 일들

할아버지는 아버지가 떠나고 꼭 한 달 만에 세상을 하직했다. 돌아가시기 며칠 전, 병원에 모신 할아버지는 손등에 시커멓게 멍이 들어 있었다. 고모가 무슨 멍이냐고 묻자 아버지가 가자고 잡아끌어서 멍이 들었다고 하셨단다. 고모들은 지금도 아버지가 할아버지를 모시고 간 거라 믿고 있다. 평생 애증의 관계였던 두 부자는 그렇게 한 달 사이에 앞서거니 뒤서거니 이승을 떠났다.

-막걸리-

완벽한 인생을 꿈꾸어본다. 누구 앞에서도 자랑스러운 자상한 아버지와 헌신적인 어머니, 공부도 노래도 춤도 운동도 잘하고 예쁜데 성격까지 좋아 모든 이의 인기를 한 몸에 받는 나, 주변에는 감히 나를 괴롭히는 사람도 성가시게 하는 사람도 없다. 그런 인생을 한번 꿈꾸어 본다. 과연 사는 게 재미있을까. 재미있는 모든 일들은 세상 만물이 저마다의 질서를 찾아가는 과정이리라. 그 시간이 아니면 알 수 없는 것으로 가득 차 있는 시간의 질서, 우주의 질서를 통과하는 과정일 테니까.

-재미있는 일들-

막걸리

이용욱

늘 똑같은 순서였다. 할아버지가 오시는 날 우리 집에서 벌어지는 일 말이다. 할아버지가 방에 들어오면 엄마는 두루마기를 받아 걸고 난 후 '좌정하세요, 아버님' 한다. 엄마가 큰절을 올리고 다음엔 우리 4남매가 함께 절을 했다. 할아버지는 엷은 미소를 띠고 이대 독자 외아들인 막내에게만 눈길을 주며 '잘 있었냐' 딱 한 말씀뿐이었다. 그리고는 다음 날 돌아가실 때까지 우리한테 말을 건 적이 거의 없었다. 어쩌다가 주머니에서 사탕을 몇 개 꺼내 동생들이랑 나눠 먹으라 주신 적은 있었는데 할아버지 최고의 애정표현이었다. 손에서 늘 담배를 놓지 않고 손마디가 시커멓게 될 정도로 줄담배를 피워 몸에서 담배 찌든 내가 섞인 뭔지 모를 냄새가 났다. 내가 뒤돌아 코를 막고 방에서 나오면 엄마는 살벌하게 눈총을 주었다. 충주에서 시외버스를 타고 오는 할아버지는 항상 점심과 저녁 사이에 도착하셨다. 인사를 마친 엄마가 하는 첫 번째 일은 다과상 준비였다. 간단히 차와 떡을 드시게 한 후 목욕탕에 다녀오시라고 주머니에 돈을 넣어드렸다. 할아버지가 나가시면 부엌에선 저녁 준비로 부산했고 나는 그때부터 심기가 불편해졌다. 목욕탕에서 신수가 훤해져 돌아온 할아버지가 건넌방에서 식사를 끝낸 다음 우리 식구들은 안방에서 저녁을 먹었다. 불편한 맘으로 밥을 먹는 둥 마는 둥 수저를 놓기 무섭게 엄마는 양은 주전자를 내 손에 들려주었다.

"가서 막걸리 한 되 받아 와라."

마침내 올 것이 왔다. 내 심기가 불편한 이유였다. 할아버지 오시는 날이 정말 싫었다.

하룻밤 이상 서울에 머문 적이 없던 할아버지는 막걸리를 무척 좋아하셨다. 그래서 오시는 날 저녁과 다음날 새벽에 올리는 두 번의 주안상에는 늘 막걸리가 있었다. 당연히 막걸리를 받아 오는 심부름은 맏딸인 내 차지. 싫다는 말도 한마디 못한 채 입만 삐죽 내밀고 한 정거장은 족히 되는 거리를 걸어가야 했다. 유리창에 빨간 글씨로 '왕대포 안주일절'이라 쓰여있는 문을 열고 들어가면 머리가 뽀글뽀글한 대폿집 아줌마가 '어서 오세요' 눈웃음을 치며 맞아주었다. 아줌마는 바가지로 막걸리를 잔뜩 퍼서 내가 내민 양은 주전자에 가득 담았다. 그리고 건네주기 전에 꼭 나를 위아래로 한번 훑어보고는 쪼르르 막걸리를 덜어 냈다. 아줌마가 보기에 꼬마가 들고 가다가 쏟을 것 같았나 보다. 아닌 게 아니라 갈 때는 덜렁덜렁 주전자를 흔들며 걸어갔지만 돌아올 때는 행여나 쏟아질까 조심조심 걸어야 했다. 집에 오는 길이 두 배는 더 멀었다. 원하지도 않았는데 맏딸로 태어나 이런 심부름을 도맡아야 하는 내 팔자가 한탄스러워 투덜투덜하며 걸었다.

아버지가 퇴근하고 할아버지 방에 들어가면 엄마는 주안상을 봐서 갖다 드렸다. 할아버지와 아버지는 대화가 많지 않았고 어쩌다 문밖으로 들리는 말씀도 별로 즐거운 것 같지 않았다. 나중에 알게 되었는데 할아버지가 서울에 오시는 목적은 주로 돈애기를 하기 위해서였다. 할아버지는 땅 욕심이 많았고 충주에서 제일 큰 사과 과수원을 만드는 게 꿈이어서 주변의 땅이 나오기만 하면 쓸모는 상관없이 무조건 계약을 하고 서울에 올라오셨다. 아버지는 공무원 월급으로 4남매를 키우느라 경제적인 여유가 없었고 사전에 의논 한마디 없이 무조건 땅을 사고 돈을 내놓으라는 할아버지가 원망스러웠을 거다. 방에서 나오는 아버지 얼굴엔 항상 구름이 잔뜩 끼어 있었다. 그런 사실을 알고부터 할아버지 오시는 날은 곧 아버지가 우울해지는 날이었기에 더 심란했다. 막걸리 심부름은 걱정도 아니었다.

할아버지는 집안의 맏이로 태어나 열여섯부터 가장이 되었는데 배포도 크고 사업수완이 뛰어나 금은방을 하면서 꽤 많은 돈을 벌었다고 한다. 그 후 사과 과수원을 시작했는데 원래 농사짓던 분이 아니었기에 매해 수확에 실패하며 재산을 다 까먹고 빚만 늘어갔다. 그래도 생각은 시대를 앞서가 사과 품종을 개량하겠다고 여기저기 농과대학 교수들을 찾아다녔다. 하지만 그당시 개인이 시도하기엔 너무 규모가 큰일이어서 결국 쓸데없는 일에 시간과 돈만 버린 꼴이 되었다. 해마다 들어가는 비료값과 일꾼들 인건비까지 아버지에게 요구하자 고모들도 할아버지가 욕심만 많아 하나뿐인 오빠를 힘들게 한다고 불만이었다. 과수원 일로 평생 고생만 했던 할머니는 내가 아주 어렸을 때 돌아가셨고 얼마 되지 않아 할아버지는 재취를 얻었다. 아직 혼인하지 않았던 여섯째 일곱째 두 고모는 새 할머니와 사이가 좋지 않아 툭하면 다투고 서울로 올라와 버렸다. 며칠 지나 아버지가 그러면 못 쓴다고 내려가라 하면 고모들은 홀쩍이면서 돌아갔다. 고모들을 좋아했던 내게 할아버지는 그래서 더 좋은 기억이 아니었다.

할아버지는 끝까지 아버지와 사이가 좋지 않았다. 늘 앞서가며 포부만 지나치게 컸던 할아버지와 그런 할아버지가 버거웠던 아버지. 말년에 위암으로 투병 생활을 하던 아버지에게 가장 큰 고민은 바로 할아버지였다. 당신보다 더 정정하신 할아버지를 남기고 갈 생각에 걱정이 태산이었다. 할아버지는 아버지가 떠나고 꼭 한 달 만에 세상을 하직했다. 돌아가시기 며칠 전, 병원에 모신 할아버지는 손등에 시커멓게 멍이 들어 있었다. 고모가 무슨 멍이냐고 묻자 아버지가 가자고 잡아끌어서 멍이 들었다고 하셨단다. 고모들은 지금도 아버지가 할아버지를 모시고 간 거라 믿고 있다. 평생 애증의 관계였던 두 부자는 그렇게 한 달 사이에 앞서거니 뒤서거니 이승을 떠났다.

"웬일이세요? 요즘 아저씨가 막걸리에 입맛을 붙이셨나?"

이십 년 넘게 들락거린 집 앞 슈퍼 사장은 술 사는 걸 본 적 없었던 사람이 막걸리를 자주 사가자 궁금했나 보다.

"보리빵 만들려구요."

얼마 전 선배님 한 분이 막걸리를 넣은 보리빵을 만들어 주셨는데 아주 맛있었다. 워낙 빵을 좋아하는 나도 레시피를 배워 자주 만들어 먹었다. 막걸리가 빵을 부풀게 하는데 소화도 잘되고 구수한 맛이 일품이다. 옛날에도 막걸리 심부름은 싫었지만 막걸리가 싫은 건 아니었다. 할아버지가 드시고 남은 막걸리에 엄마는 설탕을 넣고 손가락으로 휘휘 저어 한 모금 마시게 해주었다. 조금 텁텁하긴 했지만 뽀얀 빛깔의 막걸리가 달고 너무 맛있어 '한 입만 더, 한 입만 더'하고 졸랐었다. 그때 그 투박했던 맛의 막걸리는 지금 한층 세련된 술이 되었다. 현대인들 입맛에 맞춰 더 가벼워지고 술을 즐기지 않는 내가 설탕 없이 먹어도 아주 맛있다. 해외에서 막걸리 칵테일이 인기를 끌고 여러 종류의 천연 발효빵 제조에 쓰이는 등 용도도 다양해졌다. 이렇게 가치가 높아진 막걸리를 대할 때마다 할아버지 생각이 났다. 할아버지를 좋아하지는 않았지만, 배짱도 있고 진취적 성격이었으니 시대를 잘 만나 제대로 교육 받고 성장했다면 성공한 사업가가 될 수도 있었을 텐데 싶다.

만들어 놓은 보리빵이 다 떨어졌다. 슈퍼로 막걸리를 사러 가는 걸음에 어렸을 적 왕대포집 심부름 가던 투덜이 꼬마가 떠올라 나도 모르게 소리 내어 웃었다.

이용욱

꼭꼭 숨기

꼭꼭 숨어라, 머리카락 보일라. 술래가 아이들을 찾아다녔다. 찾았다고 기뻐서 지르는 소리, 들켰다고 아쉬워하는 소리도 들렸다. 그런데 내가 숨어있는 골목 안쪽으로는 술래가 오지 않았다. 골목 어귀에서만 슬쩍 보고 지나갔나 보다. 한참이 지났는데 아무도 찾으러 오지 않자 버림받은 느낌이었다. 하지만 내가 스스로 나가고 싶지는 않았다. 나는 인적 없는 골목 안 구석진 모퉁이에 쪼그리고 앉아 땅바닥을 기어가는 개미들만 세고 있었다. 잊혀졌다는 사실에 소리 죽인 울음이 터져 나왔다.

1차 고등학교 입학시험에 실패했다. 16년 내 인생 중 최초이자 가장 큰 실패였다. 동경했던 학교를 다니지 못하게 된 실망감도 컸지만, 당연히 합격할 거라 믿고 기대했던 부모님을 대하기가 가장 힘들었다. 엄마 얼굴을 마주치지 않으려고 친구 집에 가서 종일 지내다가 늦은 시간에 돌아왔다. 2차 고등학교에 입학한 후 매일 아침 만원 버스에 시달리며 등교하는 것이 힘들기만 했다. 버스 안에서 내가 떨어졌던 고등학교 교복을 입은 학생이라도 만나면 그날은 하루 종일 우울했다. 매사에 심드렁하고 재미있는 일이 없었다. 그러다가 찾은 곳이 바로 학교 도서관이었다. 도서관에서 공부도 하고 책을 대출할 수도 있다는 것을 알고 나서 종례 후 도서관에 들르는 게 일과가 되었다. 도서관에서 숙제를 끝내고 나면 읽고 싶은 책을 찾아 읽었다. 대부분의 한국 근대 소설들을 그때 다 읽었고 두꺼운 세계 문학 전집도 1권부터 끝까지 모두 읽었다. 교실에서 만난 새로운 친구들과 선생님들에게 선뜻 마음이 가지 않았고 도서관에 틀어박혀있는 시간이 가장 편안했다. 도서관에서는 온 세상에 나만 혼자 있는 것 같은 착각이 들었다. 누가 옆에 앉아있어도 상관없었고 아무 소리도 들리지 않는 듯했다.

나는 3년 후 1차 대학 입시에 또 실패했다. 이번에도 원하는 학교를 갈 수 없게 되어 포기하는 심정으로 2차 대학에 지원했으니 학교가 재미없는 것이 당연했다. 연달아 두 번씩이나 입시에 실패하면서 나는 인생 낙오자가 되었다고 생각했다. 같은 과 학생들과 어울리기도 싫었고 공부에도 관심이 없었다. 이때 피신한 곳도 도서관이었다. 그런데 대학 도서관은 고등학교 때와 비교도 할 수 없는 완전히 다른 세상이었다. 중세풍의 커다란 건물 전체가 도서관이었고 장서의 규모도 어마어마했다. 읽고 싶은 모든 분야의 책이 거의 다 있었다. 넓고 여유 있는 공간은 편안했고 나를 알아보는 사람도 내게 관심을 갖는 사람도 없이 자유로웠다. 여기 있을 때는 바깥세상이 어떻게 돌아가든 전혀 신경이 쓰이지 않았다. 부모님께 미안한 마음도 미래에 대한 걱정도 모두 잊을 수 있었다.

툭하면 수업을 빼먹고 등록금만 낭비하며 1년을 보냈는데 2학년이 되어서 같은 과의 몇몇 친구들을 도서관에서 자주 만났다. 패배의식에 사로잡혀있던 나와는 달리 그들은 활기차고 발랄했다. 애기를 나눠보니 모두가 나보다 훨씬 똑똑하고 재주 많은 친구들이었다. 이렇게 훌륭한 친구들이 같은 학교를 다니고 있었는데 나는 멍청하게 귀중한 시간을 허비하고 있었다니. 4년간 하는 대학 생활 중에서 이미 1년을 헛되이 흘려보냈다는 사실에 정신이 번쩍 들었다. 나머지 시간이라도 제대로 보내야 했다. 그 후부터 수업을 꼬박꼬박 들었고 친구가 추천하는 동아리에도 가입했다. 도서관 출입이 잦은 다른 학과의 동아리 선배들과도 친해졌다. 교내에서 아는 사람들이 점점 많아지자 차츰 학교가 재미있어졌다. 그들이 보석 같은 젊은 시절을 알차게 보내는 것을 보며 나도 눈앞이 환해졌다.

그 후 도서관은 숨는 장소가 아니었다. 도서관 앞 잔디밭, 제1열람실이 친구들과의 약속 장소였고 좋은 사람들을 만나 대화하고 많은 것을 하는 즐거운 만남의 장소가 되었다. 결혼하고 아이를 키울 때는 책을 멀리했다. 핑계이겠지만 퇴근 후 책 읽을 여유가 없었으니까. 언제쯤 한가하게 여유를 즐길 수 있을까 했는데 드디어 퇴직을 했다. 그러나 몇십 년 동안 틀에 짜인 생활을 했던 사람에게 갑자기 넉넉해진 시간이 축복만은 아니었다. 뭔가 허전했는데 도서관이 가장 먼저 떠올랐다. 이젠 숨기 위해 도서관이 필요하진 않았지만 지하철 두 정거장 거리에 구립 도서관이 있는 것은 행운이었다. 재직 중에는 생각지도 못했던 평일 낮시간 동안 도서관에 갈 수 있어서 행복했다. 오랜만에 서가에서 책을 고르며 책 냄새에 묻히는 것도 좋았다. 요즘은 책을 대출해서 집으로 가져와 읽는 것이 편하다. 책이 좋아서 도서관을 찾았는지 피난처를 찾아 도서관을 찾았는지 어느 것이 먼저였을까 생각해봤다. 무엇이든 상관없다. 옛날 함께 숨바꼭질했던 술래는 나를 잊어버렸지만, 도서관은 꼭꼭 숨어있던 나를 세상 밖으로 나오게 해주었다. 그래서 나는 오늘도 도서관 가는 길이 행복하다.

이용욱

냉장고 청소

곽인희

냉장고 청소 중이다. 김치냉장고를 열어보니 아침 먹고 난 후 넣어두었던 작은 김치통의 뚜껑이 제대로 안 닫혀있었나 보다. 냉장고 속 그릇 여기저기에 김치 국물이 튀어있다. 김치 국물이 묻어있는 그릇들을 몇 개 꺼내 보았더니 냉장고 안 본체까지 곳곳이 얼룩덜룩하다. 할 수 없이 냉장고 속에 들어있는 모든 그릇들을 꺼낸 후 냉장고 본체인 커다란 플라스틱 통부터 닦기 시작했다. 안에 있을 때는 잘 모르겠더니만 꺼내놓고 보니 부엌이 그릇들로 한가득이다. 덕분에 밀폐 용기들을 하나하나 자세히 살펴보게 되었다. 냉장고 정리한 지 얼마 안 된 것 같은데 언제 넣어 두었는지 모를 음식들이 보인다. 옆에서 지켜보던 남편이 안 먹는 음식들 좀 버리라고 한다. 냉장고는 가득 차 있는데 막상 먹을 게 없다나 뭐라나.

그도 그럴 것이 냉장고에는 고추장, 된장, 간장에 고춧가루, 돈가스 소스, 겨자 소스를 비롯한 갖가지 소스와 잼까지 들어 있어 그냥은 먹을 수 없는 것들로 가득하다.

김치도 종가집 배추김치, 열무김치에 절친이 맛있다고 추천해 주었던 무청김치, 본가 설렁탕집 식당 김치에 반찬 집 김치까지 있다. 얼마 전 아들 가족들과 다 같이 모여 집밥을 먹게 되어

146

반찬 집에 다녀왔었다. 몇 가지 반찬을 사면서 나를 위한 겉절이와 남편이 좋아하는 오이소박이를 조금 샀던 것을 그새 깜빡 잊어버리는 바람에 겉절이도 오이소박이도 작은 통 안에서 익어가고 있다.

그동안 먹지는 않고 자리만 차지하고 있던 씀바귀김치, 안동시장에서 땅콩 사고 서비스로 받은 잘디잔 인삼뿌리들을 버렸다. 모처럼 담갔는데 이상하게 맛이 없어 어떻게 할까 망설였던 석박지는 얼었다 녹았는지 모양까지 이상해져 있어 미련 없이 버렸다. 우리 부부에게는 너무 단맛이 나서 손도 대지 않은 무말랭이 무침도 버렸다. 동생이 모처럼 오래 두고 먹으면 좋다고 선물해준 것이어서 그동안 못 버리고 있었다. 조그만 밀폐 종지들에는 요리하다가 남았던 각종 양념들이 담겨있다. 소불고기 양념, 돼지불고기 양념, 낙지볶음 양념, 된장찌개 양념에 떡볶이 양념까지. 그것들도 아낌없이 다 버렸다. 그래도 돌아가신 엄마가 담아주신 깻잎지는 버리지 못했다. 간단히 생각했던 김치냉장고 청소는 점점 더 시간과 노동력을 필요로 하고 있다.

밀폐 용기들 뚜껑의 안쪽 고무 패킹까지 일일이 꺼내어 닦고 다시 집어넣다 보니 일이 점점 커지고 있다. 얼마만큼의 시간이 지나자 어느 정도 정리가 되었다. 김치냉장고는 목욕과 세수를 하고 말끔해졌다. 무슨 김치인지 이름표까지 달고 질서정연해졌다. 냉장고 속에 모처럼 빈 공간과 여유가 생겼다. '언젠가 필요하겠지' 하는 그 '언젠가'는 대부분 아주 오지 않는다는 깨달음. 아깝다는 생각도 욕심 탓이라는 것. 내 욕심 때문에 또 미련 때문에 냉장고에서 나가지 못하고 갇혀있던 음식들이 해방되었다. 내 마음도 같이 해방된 것 같다. 걱정과 근심과 조바심을 달고 살면서 물건이며 감정이며 잘 버리지 못하는 나를 닮은 냉장고가 잠시나마 깔끔해졌다.

냉장고를 들여다보면 내 몸과 마음을 보는 것 같아 늘 불편하다. 물론 사는 데는 지장이 없다. 그냥 꺼내먹으면 되고 그 안에 무엇이 들어있는지 자세히 알려고 하지 않으면 그만이니까. 언제 들여다 놓았는지 그것이 지금 내게 당장 필요한 것인지, 필요 없는데 다만 쟁여두고 있는 것인지 다른 사람은 필요하고 나는 필요 없는데 그냥 가지고만 있는 것인지 아니면 오히려 내게는 해가 될지도 모르는 게 있는데 그 사실조차 모르고 있는지... 마음속 감정들도 그렇게 좀 가끔은 정리를 해야 할 것 같다. 우리가 겪는 대부분의 근심 걱정들은 당장은 큰일처럼 느껴지지만 대개는 시간이 해결해 주고, 이윽고 진정이 되면 아무 것도 아닌 일이 될 작은 사건들일 뿐이라고. 지금도 잘 놓지 못하는 쓸데없는 여러 가지 감정들을 버리고 싶다. 냉장고처럼 눈에 보이게 깔끔하게. 그렇게 빈 곳에 산뜻한 것으로 채우고 싶다. 그런 날이 올까.

본의 아니게 모처럼 오늘 냉장고 청소를 했다.

재미있는 일들

또래들 보다 3년이나 늦게 들어갔던 대학에서 나는 동아리 활동을 할 수 없었다. 평소 관심이 많았던 사진동아리에 들어가려 했더니 4학년과 나이가 같았다. 군기가 유난스럽게 세다는 사진반의 분위기를 도저히 감당할 자신이 없어 한번 가서 염탐해 보고는 그대로 나와 버렸다. 늦깎이 신입생에게 동아리 활동은 어디서고 쉽지 않았다. 바로 위 오빠의 동아리 활동을 몹시 부러워했던 내게는 두고두고 아쉬운 일이었다.

오빠는 대학신문사 편집국장이었다. 어느 날인가 오빠 학교의 신문 기자들이 모두 우이동인지 정릉인지 서울 근교 숲으로 단합대회를 간다고 했다. 각자 여자 친구나 남자친구와 함께 가는 것이었는데 여자 친구가 없는 오빠가 대신 나를 데리고 갔다. 그곳에서 하루를 보낸 스무 살의 나는 깜짝 놀랐다. 세상에 그렇게 한 사람 한 사람 모두 친밀한 분위기, 유쾌한 집단이 있다는 것을 처음 알게 되었고 눈이 번쩍 뜨였다. 은행직원들과는 전혀 다른 발랄함과 지성과 유머에 홀딱 반한 나는 대학에 들어가면 꼭 동아리 활동을 해야겠다는 로망을 갖게 되었다.

"양념이지" 아버지가 말씀하셨다. 어느 날인가 사는 게 너무 힘들어 아버지에게 왜 이렇게 사는 게 힘드냐고 물었을 때 아버지가 그러셨다.

"사는 게 너무 똑같으면 재미가 있나, 가끔씩 안 좋은 일이 일어나야 재미나는 거지"하고. 삼십 대의 젊은 나는 이해가 되지 않았다. 사십 대에 실직하고 사기도 여러 번 당하면서 재미있는 일들을 골고루 겪은 인생을 사신 아버지가 하실 말씀은 아니었다. 이제는 이해할 수 있다. 살아가는 동안 바로 그때 그 시기에 재미있는 그 일을 겪지 않으면 알 수 없는 것들이 많이 있더라고. 그때는 미처 몰랐다. 한때 몹시 미워했던 아버지, 사춘기의 나는 너무나 젊은 아버지가 일할 생각도 하지 않고 돈도 벌지 않는 것이 몹시 못마땅했다. 그런 기회가 주어져도 자존심 때문에 마다하는 아버지가 싫었다. 지금이나 그때나 조그만 몸집의 엄마는 줄줄이 다섯 남매를 먹이고 입히고 공부까지 시키느라 얼마나 힘들었을까. 아버지 대신 고등학교를 졸업한 큰오빠와 언니가 직장을 얻었고 공부를 잘하는 작은 오빠는 대학에 들어갔다. 시골의 땅을 팔아서 등록금을 댔다고 했다. 열여덟 살 나도 은행에 취직을 하고 은행 창구에 앉았다.

대학의 낭만을 누리지 못한 건 3년 넘는 직장생활 때문이었다. 어디선가 그런 이야기가 나오면 숨고 싶은 시간이었다. 그런데 그런 시간이 아니었다면 지금의 나는 없었을 것 같다는 생각을 이제야 비로소 하게 되었다. 부족함 없이 공부하고 대학을 진학했다면 대학에서의 시간이 그렇게나 소중한 시간이라는 것을 알지 못했을 것이다. 동아리 활동을 할 수 없어 내내 섭섭했고 동아리 활동으로 얻는 게 더 많았을 수도 있었겠지만 어린 나이의 사회생활은 내게 겸손과 친절과 배려가 무엇인지 알려주었다. 욕심 많고 이기적이고 나만 잘난 줄 알았던 내게 세상이 그렇게 호락호락하지 않다는 것, 하고 싶지 않아도 해야 할 일이 있으며 좋은 사람도 싫은 사람도 있다는 것, 좋은 사람과 그렇지 않은 사람을 구별할 수 있는 눈이 있어야 한다는 것도 가르쳐준 소중한 시간이었다.

수습 행원 시절 고객에게 돈을 잘 못 내주어 한 달 치 월급을 물어냈던 일은 두고두고 아픈 기억이었지만 그 후 창구 일 하는 내내 1원도 틀리지 않게 하는 원동력이 되어 주었다. 내게 그렇게나 혹독하게 업무를 가르쳐준 대리도 좀 더 친절했으면 좋았을 테지만 그렇게 배워서 업무에 실수를 잘 하지 않게 되었으니 고마워해야 할 일이었다. 오로지 창구 고객들의 말을 잘 들어주는 것만으로 친절사원으로 뽑혀 본점으로 발령이 났고 정시퇴근이 가능해지자 야간 종합반에서 입시 공부를 하고 대학에 들어갈 수 있었던 것이다.

완벽한 인생을 꿈꾸어본다. 누구 앞에서도 자랑스러운 자상한 아버지와 헌신적인 어머니, 공부도 노래도 춤도 운동도 잘하고 예쁜데 성격까지 좋아 모든 이의 인기를 한 몸에 받는 나, 주변에는 감히 나를 괴롭히는 사람도 성가시게 하는 사람도 없다. 그런 인생을 한번 꿈꾸어 본다. 과연 사는 게

재미있을까. 재미있는 모든 일들은 세상 만물이 저마다의 질
서를 찾아가는 과정이리라. 그 시간이 아니면 알 수 없는 것
으로 가득 차 있는 시간의 질서, 우주의 질서를 통과하는 과
정일 테니까.

삼십 여 년 전 돌아가신 아버지의 말씀이 맞았다.

이애주

나이 탓
우리 옥수

이의순

마음의 고향
웃음꽃

지나간 날들은 순간이지만 다가오는 순간들은 긴 그림자를 달고 그 순간이 전부인 양 또 내게 달려오고 있다. 무엇이 어떠하다는 명제도, 어떠해야 한다는 정답도 버린 지 오래다. 갈수록 뭔가 아슴프레해지고 긴가민가해진다. 이 말도 맞는 것 같고 저 말도 맞게 들린다. 내가 옳다 세우다가도 상대도 옳다는 결론에 이르게 된다. 계속 이렇게, 이대로 살아도 되는 걸까?

-나이 탓-

나이를 뛰어넘어 그 시절로 돌아간 듯 조금은 낯설었던 얼굴 위에 낯익은 표정들이 하나둘씩 겹쳐졌고 목소리마저 그 옛날 그대로로 돌아갔다. 그날 이후, 고향은 분명히 저 멀리 있는데 내 마음에도 또 하나의 고향이 자라나기 시작했다. 못 본 세월만큼 더 자주 보자고 약속했으니 친구들을 만날 때마다 내 마음의 고향도 무럭무럭 자라날 것이다. 생각만 해도 가슴이 벅차오른다.

-마음의 고향-

나이 탓

이애주

어느 날부턴가 어깻죽지 밑이 괜히 가렵기 시작했다. 며칠을 계속 긁어대다가 참을 수 없어 피부과에 갔다. 가려움증은 노인성 질환이라 어쩔 수 없다고 평소에 바디로션이나 잘 바르라며 연고를 처방해 주었다. 그걸 발라도 계속 가려워 긁어댔더니 피부가 벗겨졌는지 따갑기까지 했다. 가려워서 자다 깨기도 했는데 그날은 아침에 일어날 때부터 가려워 오기 시작했다. 손을 뒤로 뻗어 또 긁으려다가 남편을 불러 이참에 등이나 옷에 뭐가 있나 자세히 봐 보라고 했다. 아무것도 없다는 남편을 몇 번이나 다그쳤더니 먼지같이 가늘고 하얀 머리칼 하나를 집어냈다. 그러자 감쪽같이 가려운 게 사라져 버렸다. 노인성 질환이 아니라 가늘고 하얀 머리칼 하나가 문제였던 거였다. 모든 걸 나이 탓으로 돌려버린 의사가 괘씸도 했지만 찾아내기도 어려울 만큼 가늘어지고 하애진 머리칼은 나이 탓이 분명하니 나이 탓이란 이유가 괜한 말은 아닌 듯싶었다.

작년 봄에는 또 두 번씩이나 넘어지기도 했다. 이어폰을 꽂은 채 걷느라 멍석으로 깔아놓은 깔개에 빗물이 스며들었단 걸 감지하지 못한 탓이었다. 발을 내딛자마자 그대로 미끄러졌다. 순간 고관절을 보호해야 한다는 생각에 다리를 옆으로 살짝 틀었을 뿐인데 무릎에서 뚝 소리가 났다. 얼마나 아픈지 식은땀이 났고 한동안 그 자리에 꼬꾸라져 있었다. 다행히 고관절은 이상이 없었고 무릎 근육이 좀 부었다고 해서 며칠 물리치료를 받았다. 그러던 중에 길을 가면서 톡을 하다가 튀어나온 보도블록을 미처 보지 못하고 걸려 또 넘어져 버렸다. 너무 아파서 창피할 틈도 없었다. 부은 무릎 근육이 가라앉기도 전, 같은 자리에 피부까지 벗겨져 피가 흘렀고 손바닥도 깊이 패였다. 연거푸 두 번씩이나 넘어졌으니 머리에 뭔가 이상이 있나 검사해봐야 하는 거 아닌가 했더니 의사 왈 부주의해서 그래요, 나이 들어 그런 거니까 한눈팔지 말고 잘 다녀야 한단다.

자다 깨도 원하는 물건을 금방 척척 찾아내 주는 나를 철석같이 의지했던 남편을 실망시키는 일들도 자주 생기고, 꼭 있어야 할 자리에 두어야 할 물건들조차 어디 뒀는지 생각나지 않아 허둥대기도 하고, 갖고 나가려고 챙겨 두었던 것들도 그냥 두고 나가 다시 되돌아 들어오는 일들도 더러 생긴다. 나는 내 물건을 절대 잃어버리지 않는다며 잘 잃어버리는 사람들을 좀 어설프게 생각했었는데, 작년에 40년이나 차고 다니던 결혼 시계를 잃어버리고는 그 사실조차 여러 날 뒤에야 알아차리는, 어느새 내가 그 어설픈 사람이 되어 버린 걸 발견한다.

내 말을 되묻는 엄마에게 내 사전엔 리바이벌은 없다며 싸가지 없게 선포했던 내가 딸애의 말 앞에서 눈치를 보며 대답 대신 뜸을 들인다. 못 알아들은 것이다. 말마다 되묻는 내게 딸은 내가 엄마한테 했던 거에 한술 더 떠서 마음에 안 드니까 일부러 못 알아듣는 척한다며 억지를 쓰기 때문이다. 엄마는 이렇게 착하고 제 할 일 알아서 잘하는 내게 서운할 건 조금도 없을 거라 일말의 의심도 없었는데, 이런 조그마한 것에도 서운하고 서러워 엄마 생각이 나면서 엄마 마음이 읽혀지고 내가 그때의 엄마 나이가 되었음을 새삼 절감하게 된다.

며칠 전에는 자다가 다리에 쥐가 났다. 누굴 부르려 했지만 온몸이 뒤틀려 목소리도 나오지 않았다. 급한 김에 머리맡에 있던 책을 방문으로 던졌더니 그 소릴 들었는지 딸애가 뛰어왔다. 끙끙대는 나를 보더니 깜짝 놀라 다리를 주무르고 등을 두드리며 발가락을 이리저리 꺾어댔다. 거짓말같이 금방 풀렸다. '엄마도 내 손이 필요할 때가 있네. 아 우리 엄마 이제 어떡해!' 하며 딸은 날 낯설게 쳐다봤다. 뭐든 내가 해 주어야 직성이 풀렸고 애들은 으레 못하는 게 당연하다 생각했는데, 요즘 들어 내가 그동안 꽤나 독재적이었음을 인정할 수밖에 없는 일들이 종종 생기기도 한다.

예전엔 아무렇지 않게 지나쳤던 말들도 그 말 뒤에 숨어있는 마음까지 들리게 되니 겉 뜻과 달리 편치 않게 듣게 될 때가 있다. 그냥 뭐 별거 아니려니… 쉽게 지나가긴 하지만

157

뭔가 지나간 자리에는 가끔 흔적 같은 것이 남기도 하니까, 때론 그 흔적들을 묵상하다가 뜻하지 않게 기분이 틀어질 때도 있다. 하지만 그것들도 잠시, 곧 귀찮아진다. 뭔가 마음먹은 대로 잘 안 풀리면 몇 날이고 밥도 못 먹고 속상해했던 때도 있었는데 너그러워진 건지 가벼워진 건지 이젠 가슴이고 머리에 담아두는 건 고사하고 손끝에 스쳐 지나가기만 해도 신기할 만큼 사라져 버린다.

작은 머리칼 하나에 맥을 못 추고 길 가다 혼자 넘어지질 않나, 물건도 못 찾고 말도 못 알아들어 쩔쩔매고 빤히 내려다보이는 내 다리도 내 마음대로 어쩌지 못해 또 쩔쩔맨다. 쌓이기도 전에 날아가 버리는 감정들의 가벼움은 개운하고 평안하게도 하지만 어떤 땐 텅 빈 거 같은 허전함에 가벼워진 날 더 가볍게 만들기도 한다. 나이 탓이려니 순리라 여기지만 그래도 나 정도는 아직 멀쩡한 걸 거라며 되레 당당해지기까지 한다.

지겹도록 길었던 날들도 순간처럼 지나가 버렸으니 앞으로의 날들은 얼마나 더 잠깐일까? 지나간 날들은 순간이지만 다가오는 순간들은 긴 그림자를 달고 그 순간이 전부인 양 또 내게 달려오고 있다. 무엇이 어떠하다는 명제도, 어떠해야 한다는 정답도 버린 지 오래다. 갈수록 뭔가 아슴프레해지고 긴가민가해진다. 이 말도 맞는 것 같고 저 말도 맞게 들린다. 내가 옳다 세우다가도 상대도 옳다는 결론에 이르게 된다. 계속 이렇게, 이대로 살아도 되는 걸까?

우리 옥수

"우리 옥수, 얼른 와서 이리 앉거라. 아이구 춥다. 너거들은 인자 저리 좀 비키라."

"아이구, 춥제? 손 이리 도고 보자. 손이 상그랗네."

겨울밤 저녁 설거지와 뒷마무리를 끝낸 엄마가 방에 들어오자 아부지는 부리나케 우리들을 내쫓으시며 엄마를 아랫목으로 끌어 앉힙니다. 엄마는 약간 어리광을 부리듯 아버지 곁 이불 속으로 쏘옥 들어갑니다. 아랫목을 빼앗긴 언니와 난 서로 눈짓을 주고받으며 슬며시 일어나 우리 방으로 갑니다.

초여름입니다. 저녁 준비를 하던 엄마가 오늘따라 대문께를 자꾸 처다봅니다.

"누고? 누가 왔노?"

누구를 기다리는지 대문 소리가 날 때마다 누구냐고 묻습니다. 책을 보다 말고

"엄마, 와?"

하고 물어봐도 엄마는 내 말에 대답도 않고 대문에만 계속 귀를 기울입니다.

"내, 왔데이."

아부지가 오셨습니다. 엄마는 한걸음에 달려 나와 아부지를

맞습니다. 무얼 사 오셨는지 아부지는 들고 오신 봉지를 수돗가에 놓고 양복 윗도리를 벗어 엄마에게 건넵니다. 옷은 받는 둥 마는 둥 엄마는 봉지에 온통 정신이 팔려 있습니다.

"잘 보고 사 왔능교?"

"그래, 말하는 대로 그 집에 가 샀으니 맛있을 끼다."

시계를 풀어 툇마루에 놓은 아부지는 수돗가로 가서 봉지를 다라이에 붓고 씻기 시작합니다. 아~ 커다란 복숭아입니다. 그러고 보니 복숭아 철입니다.

"매매 씻으이소."

엄마는 입맛을 다시며 복숭아만 쳐다봅니다. 몇 번이나 씻고 헹군 복숭아를 바가지에 담아 엄마한테 건네줍니다. 복숭아 바가지를 받아든 엄마의 얼굴은 어린애 같습니다. 바가지 속 복숭아를 하나 꺼내더니 껍질을 살살 벗겨 냅니다. 속살이 드러난 복숭아를 한입 크게 깨물어 먹습니다. 한 입 한 입 깨물 때마다 복숭아 물이 흘러내려 엄마 입가로 팔뚝으로, 온통 복숭아 물입니다. 보통 때 같으면 나랑 아부지를 먼저 챙겼을 엄마가 바로 옆에 내가 앉아 있는데도 아랑곳없습니다. 복숭아를 두 개째 드시더니 그제야 엄마는 정신이 드나봅니다.

"우리 옥수, 맛있제?"

허겁지겁 복숭아를 먹어대는 엄마를 흐뭇하게 바라보시는 아부지를 향해 엄마는 환하게 웃습니다. 엄만 바가지에 남은 복숭아를 애지중지 부엌으로 가져갑니다.

토마토가 몸에 좋다고 아무리 말해도 엄마는 토마토를 넘기지 못합니다. 맛이 신 사과도 한입 물다 억지로 삼키곤 이내 얼굴을 돌려 버립니다. 포도주를 담근다고 두 궤짝이나 사온 포도를 씻고 으깨고 할 때도 포도 한 알 드시지 않습니다. 입맛에 안 맞다며 우리만 먹으라 합니다. 그런 엄마가 유일하게 드시는 과일이 껍질이 훌훌 벗겨지는 복숭아, 수밀도입니다. 복숭아 껍질에 알러지가 있어 복숭아를 만지지도 못하고 근처에 가지도 못하는데 어떻게 저렇게 좋아하는지 이해가 안 됩니다. 수밀도는 보관도 어렵고 나오는 철도 짧아 고작 일 년에 두어 번 아부지가 사다 주시는 것만 드실 뿐입니다. 시장에 가서는 어느 집 복숭아가 맛있겠는지 유심히 봐 놓고 아부지께 그 집 가서 사오시라 신신당부를 합니다. 한동안 엄마의 얼굴이 환합니다.

"우리 옥수, 복숭아를 먹고 나더니 얼굴이 더 환해졌네."

아부지 얼굴도 환해진 듯합니다. 그렇게 복숭아 철이 지나고 나면 엄마는 한동안 시무룩해집니다. 그러면

"우리 옥수, 내년에 복숭아 나올 때를 기다려야지. 그때 또 맛있게 먹으면 되지."

아부지가 엄마를 달랩니다.

'우리 옥수'는 엄마가 안쓰러워 보일 때나 한잔하신 아부지가 기분이 좋을 때 부르는 엄마의 애칭입니다. 사촌 큰 오빠들이나 오촌 아재들이 놀러 와서 엄마를 찾을 때

"우리 옥수, 어데 갔노?"

하면서 엄마를 놀려대기도 합니다. 엄마는 '떽'하며 혼내는 척하지만 이내 풀어져 환하게 웃습니다. 어느새 엄마는 '우리 옥수'로 통합니다. 예쁜 우리 옥수… 엄마가 기분이 좋아 보일 때 어쩌다 우리도 그렇게 불러 봅니다.

몇 년째 병원에 있는 엄마가 아부지를 찾아오라고 또 우리를 다그칩니다.

　"우리 옥수, 또 아부지가 보고 싶나 보네."

　하며 우리는 폰에 저장해둔 아부지 사진을 보여 줍니다. 손으로 사진을 만지작거리다가 아부지가 돌아가셨단 사실이 생각났는지 눈물을 글썽입니다.

　"무심한 양반, 그렇게 갔으면 나도 얼른 델꼬 가야지, 우리 옥수, 우리 옥수 불러 쌓더니만 어데 가뿌고 소식도 없노."

　'우리 옥수'라 불리던 그때가 그리우신가 봅니다. 아부지가 보고 싶다며 한참을 조르던 엄마가 잠이 듭니다. 꿈결에 아부지 목소리라도 듣는 듯 눈물 자국 마르지 않은 핼쑥한 얼굴에 엷은 미소가 살며시 번집니다. 우리 옥수, 우리 옥수, 예쁜 우리 옥수. 엄마는 우리 옥수입니다.

마음의 고향

이의순

빠르게 스처가는 풍경들, 차창 밖으로 초록이 넘실대는 산천들을 보며 옛 생각에 잠긴다. 젊은 시절 이 길을 지나며 고향을 오갈 때는 우리의 이별이 이렇게 오래리라 생각지도 못했다. 젊을 때라 각자의 생활로 바빴고 당장의 일들에 치여 감히 생각지도 못했지만 마음만 먹으면 언제든 만날 수 있으리라 여겼다. 그런 시간들이 어느덧 40여년을 훌쩍 넘어버렸다. 고향길에 들어서면 잠시 그리워하기도 했지만 내 앞에 펼쳐지는 일상에 묻혀버리면 그런 마음들은 이내 사라져 기억의 저 밑바닥으로 가라앉아 버렸다. 그리곤 바람결에, 결혼했다는 소식만 겨우 들었다. 그랬던 그녀들을 뜻하지 않은 일로 다시 만나게 되었다. 미국서 돌아온 경희의 언니가 고향집에 간다고 했을 때 경희는 우리들을 생각해 냈고 우리들 소식을 꼭 알아오라 부탁했었단다. 그 언니는 고향에서 우연히 나의 사촌 오빠를 만나 우리 오빠 전화번호를 알아냈고 경희는 그날로 내게 전화를 했다.

다행히 우리들은 서울과 수도권에 살고 있어 만나기가 쉬웠다. 신사동에 모인 우리는 밤늦은 시각까지 할 말이 어찌나 많았던지... 해도 해도 얘기가 끝없이 이어졌다.

딸부잣집의 예쁜 막내딸로 온 가족의 귀여움을 받으며 자란 경희는 우리 삼총사의 공주님이었다. 공주인 경희는 중학교 때부터 언니가 사는 광주로 나가 살다가 결혼했는데 서른 중반에 남편을 잃고 아들 하나를 키우며 살아왔다고 했다. 씩씩하고 멋졌던 남편 박중위님을 보내고 막막했을 이 긴 세월을 어떻게 견디며 살아왔을까? 그 아팠던 날들을 생각하며 경희도 울고 우리도 울었다. 그런 큰 아픔을 어떻게 잘 다독였는지 아직도 공주님의 품위를 여전히 잘 간직한 채 두 손자를 돌봐주며 아들 집 부근에서 살고 있다고 했다.

친구 덕자도 막내였는데 부모님이 연세가 많으셨다. 취직한 언니를 따라 서울로 전학 갔다가 언니가 결혼하는 바람에 다시 시골로 내려와 학교를 다녔다. 활발한 성격의 덕자 덕분에 우린 참 많이도 웃었던 것 같다. 일찍 연애를 해서 시집도 제일 먼저 갔는데 고생을 많이 해서 그런지 꽤 늙어 보여 마음이 짠했다. 대학 다닐 때까지는 광주에서 가끔씩 친구들을 만났지만 그 뒤로는 흐지부지 연락이 끊겨버렸다. 뭐가 그리 바빴는지 우린 서로의 결혼식에도 가지 못했고 결혼 후엔 소식도 거의 듣지 못했다가 이제야 만나게 된 것이었다.

어린 시절의 소꿉친구들, 우리 셋은 삼총사였다. 들판에 자운영꽃들이 만발하면, 하늘을 보며 드러누워 깜빡거리는 반딧불이를 세며 밤늦도록 깔깔거렸고, 해마다 크리스마스가 가까워지면 크리스마스트리를 보러 우리는 평소에는 가지도 않던 동네교회를 들락거렸고, 성탄절 새벽이 되면 꽁꽁 얼어붙은 길을 미끄러지면서까지 선물을 한가득 받아오기도 했다. 불빛 하나 없는 깜깜한 한여름 밤, 더운 여름 열기를 식히려고 번갈아 목욕을 하며 서로 망을 봐 주기도 했는데, 마지막 차례가 된 친구를 놀려주려고 누가 온다고 소리쳐서 화들짝 놀라 어쩔 줄 몰라 했던 친구의 모습에 깔깔거렸던 일도 떠올랐다. 무더위가 기승을 부리던 8월 초, 쨍쨍한 햇빛이 온 마을을 삼켜버릴 것 같은 날 동네에서 단체로 수문포 해수욕장으로 나들이를 갔다. 튜브를 빌려 셋이 타고 놀았는데 어쩌다 한 친구가 깊은 바다에 빠져 놀라 울면서 허둥지둥댔던 일도 생각났다. 동네 오빠가 달려와 구해주었지만 정말이지 너무 겁이 났고 무서웠었다.

수구초심이라 했던가! 언제부턴가 소꿉친구들 생각이 향수병처럼 간간이 도지던 터였다. 전화를 받고 한 걸음으로 모인 우리는 그간의 사연들을 털어놓으며 만나지 못했던 시간들을 메워갔다.

친구들과 어린 시절의 흔적을 더듬어 가다 보니 묻혀있던 기억들이 하나둘씩 떠올랐다. 친구들과 함께 달리던 논두렁길이며, 고무줄놀이를 하던 운동장이며, 여름이면 멱 감고 소꿉 살던 시냇가며. 여름방학 함께 들었던 긴긴 매미 소리까지 내 마음에 다 되살아났다. 나이를 뛰어넘어 그 시절로 돌아간 듯 조금은 낯설었던 얼굴 위에 낯익은 표정들이 하나둘씩 겹쳐졌고 목소리마저 그 옛날 그대로로 돌아갔다. 그날 이후, 고향은 분명히 저 멀리 있는데 내 마음에도 또 하나의 고향이 자라나기 시작했다. 못 본 세월만큼 더 자주 보자고 약속했으니 친구들을 만날 때마다 내 마음의 고향도 무럭무럭 자라날 것이다. 생각만 해도 가슴이 벅차오른다.

웃음꽃

가끔, 무엇을 위해서 살아가는지. 나는 왜 이렇게 열심히 살아가고 있는지... 모든 걸음을 멈추고 애쓰지 않고 목적 없이 살아보고 싶다. 마음 가는 대로, 굳이 열심히 살지 않아도 시간은 흘러갈 것이다. 가끔은 하늘을 바라보며 혼자 속삭인다. 지금까지 내가 뛰어온 속도가 아닌 더딘 걸음으로 여유롭게 살아갈 수 있기를... 40년의 세월은 '희로애락'으로 뒤섞여 날 화나게도 했고, 또 날 위로하기도 했다. 변치 않은 내 편, 나의 분신들, 언제나 내 곁에 아이들이 있기에 그 모든 것이 사랑이고 기쁨으로 귀결된다.

큰아이가 결혼하여 손자가 태어난 지 22개월이 지났다. 우리에게 새로운 가족이 되어 나타난 2.8kg의 조그마한 아기. 호흡이 정상적이지 못하여 치료가 필요하다며 응급실로 옮겨졌다. 코로나 바이러스가 한창일 때라 병원 면회도 안 되어 만나지도 못하고 전해들은 소식으로 마음만 더욱 애절했다. 겸허하게 무릎 꿇고 더욱 낮은 마음으로 성모님께 기도했다. 우리들에게 찾아온 선물 같은 아이, 치료가 잘 되어서 기쁜 마음으로 퇴원할 수 있기를... 열흘쯤 지나 건강해져 우리 품으로 돌아온 아기. 지금 생각해도 감사한 마음에 눈시울부터 뜨거워진다.

167

딸이 우리 집 옆으로 이사 온 지 1년이 되었다. 딸의 출근 시간에 맞추어 매일 어린이집에 아기를 데리고 가느라 아침 시간은 늘 북새통이다. 엄마에게서 떨어지지 않으려 우는 아기를 겨우 달래 어린이집 앞으로 가면 또 할머니인 나를 붙잡고 떨어지지 않으려고 하는 아기와 또 한바탕 씨름을 한다. 비지땀을 흘리며 마음 아팠던 때가 엊그제 같은데 이젠 의사 표현도 분명하고 말도 제법 잘 알아듣는다. 오늘은 어떤 새로운 말들을 할까. 새로운 말을 할 때마다 매번 신통하고 신기하다.

주말이 되면, 아이와 함께 가족 모두 공원의 잔디 운동장으로 간다. 큰 공 하나 들고 함께 놀이를 즐기려는 가족들의 대이동인 셈이다. 공차는 것을 좋아하고 제법 공을 잘 다루어 할아버지와 축구 놀이를 할 때면 온통 웃음꽃이 핀다. 정확하게 포인트를 잘 맞추어 공을 차는 걸 보고 모두가 박수를 치며 '화이팅... 브라보'를 외친다. 아기가 오고 난 뒤 우리 모두는 많이 변했다. 아기를 중심으로 서로 시간을 양보하고 귀찮은 일도 기쁜 마음으로 감당하게 되었다. 집안일은 늘 내 몫이라며 손끝 하나 거들지 않던 남편도 아기에게는 꼼짝을 못한다. 아기의 갑작스런 호출에도 모든 선약을 취소하고 한걸음에 달려와 할아버지의 의무를 기쁘게 다하는 남편을 보면 그간의 서운함도 눈 녹듯 사라져버린다. 우리에게 사랑과 나눔과 기쁨, 넉넉한 마음을 가져다 준 아기는 우리에게 보내진 '천사'가 틀림없다.

아기는 훗날 어떤 모습으로 자라날까? 호기심과 기대감으로 가슴이 벅차기도 한다. 하지만 아기에게 붙잡혀 꼼짝도 못할 땐 답답한 나머지 우울해지기까지 한다. 감기에 걸린 아기가 열이 떨어지지 않아 연거푸 울어 댈 때는 돌봐주지 못하고 어린 나이에 어린이집을 무리하게 보내는 건 아닌가 싶어 죄책감이 드는 것도 사실이다. 한 며칠 아픈 아기와 씨름 하다 보면 아픈 아기가 안쓰러워 마음이 쓰리지만 내 모든 에너지는 방전되고 도대체 내 의무는 언제 끝이 나는 건가. 이 상황이 싫고 벗어나고 싶은 생각에 마음이 또 우울해지는 것도 진심이다. 그러다 다 나아 생글생글 웃는 아기를 보면 내 수고에 넘치게 보답 받은 것 같아 마음이 다시 뿌듯해진다. 아~ 이런 싸이클을 얼마나 더 돌고 돌아야 하나? 내 마음을 눈치챈 듯 미안해하는 딸을 보며 다시 한번 마음을 다잡는다. 늦은 밤 장독 위에 물 한 그릇 올려놓고 자손들이 무탈하게 잘 살기를 소원하시던 어머니의 모습이 갑자기 떠오른다. 어머니가 기도하시던 그 마음이 지금 내 마음과 똑같았을 것이다.

아기가 온 지 벌써 두 해가 되어가고 있다. 아기로 인해 웃기도, 우울해지기도 하지만 쉴 틈 없이 바쁜 중에도 친구들을 만나 힘들었던 마음을 털어내고 그들에게서 다시 힘을 충전시킬 수 있고 재롱부리는 아기 이야기에 친구들과 함께 즐거워하니 사랑도 돌고 돌고 기쁨도 돌고 도는 것 같다.

어릴 때 학교에 할머니께서 오셨다. 이 반 저 반 찾아다니시다가 날 발견하신 할머니는 보자기에 싼 조그만 뭉치를 주고 가셨다. 친구들이 볼까봐 몰래 풀어본 보자기에는 따끈한 떡이 들어있었다. 아침밥을 먹는 둥 마는 둥한 내가 마음에 걸려 떡을 만들어 달려오신 것이었다. 그땐 부끄러워 떡 맛도 모른 채 친구들 몰래 숨어서 먹었다. 내가 할머니가 된 지금 그때의 할머니 마음이 진하게 느껴져 온다. 할머니에서 어머니로 이어져 내 몸속에 진하게 새겨져 있을 그 사랑으로 이 시간들을 능히 이길 수 있으리라.

어릴 때는 내가 무엇을 좋아하는지도 모르면서 자랐지만 이제는 안다. 산에 가는 것을 좋아하고 사진 찍는 것을 좋아하고 글 쓰는 것도 조금은 좋아한다. 그중에서 제일 좋아하는 건 멋진 옷을 만들기 위해 고민하고 새로운 것을 찾아 시장을 누빌 때다. 나이를 먹어도 할 수 있는 일이 있어 좋다. 혼자 있어도 외롭지 않은 일이 있어 좋다. 같은 곳을 바라보며 작업할 수 있는 자매들이 있어 더 좋다. 내가 만든 옷을 입고 사람들이 더 멋쟁이가 되는 모습을 볼 수 있는 날이 오기를 꿈꾼다. 취미를 넘어 특기라고 말할 수 있는 날이 오기를 꿈꾼다.

-취미와 특기-

아이들이 크고 마음이 여유로워지며 나는 충분히 내 범위를 넓혀서 많은 걸 포용할 수 있을 줄 알았다. 나이 들면서 너그러운 마음을 가질 것인지 노화를 핑계로 옹졸해질 것인지의 갈래길이 있다. 너그러워지는 게 저절로 되는 것이 아니고 이렇게 어려울 줄이야. 내 기억과 경험은 내겐 전 우주이지만 다른 사람에게는 한 줌의 모래더미이다. 서로의 한줌 세계가 모일 때 우주가 채워진다는 걸 생각하면 내가 조금 확장되고 내 입이 순화될까.

-그 입 다물라-

새언니

박순호

처음 마주한 5초로 그 사람의 첫인상을 기억한다고 한다. 사람의 관계에서도 처음 어떻게 불리어졌는가에 따라 그 이름이 평생 가기도 하는 것 같다. 우리 자매에게는 새언니라는 호칭이 그렇다. 내가 태어나기도 전에 큰오빠에게 시집온 새색시를 시누이들은 새언니라 불렀고 올케는 우리를 작은아씨라 불렀다. 새언니와 작은아씨! 얼마나 예쁜 이름인지! 이 정겨운 이름이 한때는 살벌한 '올케와 시누이'로 맞선 적도 있었지만 여전히 여든여덟 살의 할머니를 새언니라 부르고 예순다섯 살의 나를 작은아씨라 불러주고 있다.

새언니가 코로나 백신을 맞고 열이 올랐다는 소식이 들려왔다. 엄살을 잘 부리는 성격이라 요란을 떨었을 테고 그에 맞춰 시골로 차를 몰았을 조카들 모습도 보이는 듯 했다. 그러다 서울로 모시고 왔다는 말에 우리 자매들은 조카네 집을 찾았다. 새언니는 우리를 보자마자

"이번에 못 보는 줄 알았어. 작은아씨들도 못 보고 죽는 줄 알았다니까."

반가움에 손을 맞잡는다.

"와~~우리 언니! 아직도 죽는 게 무서운가 보네. 뭐가 제일

173

아쉬워요?"

둘째언니의 농담에

"어휴, 작은아씨도. 아직 죽기에는 아깝잖여. 안 그려, 순호 작은아씨!"

하며 나를 쳐다본다. 나도 흐흐 웃으며

"글쎄, 나는 아쉬움 없는데."

표정을 보니 정말 그런 것 같다. 새언니는 죽고 싶다는 거짓말 따위는 하지 않는다.

큰오빠가 결혼을 하자 아버지는 본가에서 빤히 보이는 곳에 집을 짓고 살림을 내줬다. 내가 태어나기 2년 전의 일이다. 오빠는 착했고 허허거리며 웃기를 잘했다. 조카들이 태어났고 북적거리는 집이었지만 밤마다 동네의 총각 처녀들이 마실을 왔다. 젊은 감각을 지녔고 먹을 거 잘해주는 새언니를 사람들은 좋아했다.

열 살 정도의 나도 종종 언니들을 따라갔다. 새언니는 이야기도 잘했다. 총각 처녀들이 앞으로 만날 짝꿍들의 설레는 마음을 드러내면 오빠를 처음 보던 날을 이야기했다.

"창호지에 침을 바르고 밖을 봤어. 마침 키가 훤칠하신 분이 들어서는 거야."

결혼하는 날, 신랑을 처음 보았다는 새언니의 말이다.

"옳다구나 했지. 시아버지 될 분이 키가 크니 얼마나 좋았겠어."

나는 침을 꼴깍 삼키며 '그렇지. 우리 아버지는 키 크고 잘생기셨지' 흐뭇한 얼굴로 다음 말을 기다렸다. 새언니가 자신의

머리 위에 손바닥을 쫙 펴 올리며

"나는 이만큼만 컸으면 했어. 솔직히 말해 내 바램은 키 큰~ 남자, 그것밖에 없었어."

우리는 이 말을 들을 때마다 깔깔대고 웃어댔다. 아무것도 모르는 오빠가 우리 앞을 왔다 갔다 하면 더 재미있었다.

"그런데 웬걸!! 뒤따라 들어오는데. 내 참내, 기가 막혀서. 난쟁이 똥자루만한거야."

새언니는 여러모로 오빠보다 우위에 있었다. 착하기만 하고 주변머리가 없는 오빠와 달리 키가 크고 날씬한 몸에 붙임성 있는 성격으로 사람들을 아우르는 능력도 있었다. 네 명의 아들이 태어났다. 남자가 많은 새언니네 집 우물가에는 빨아야 할 옷들이 함지박에 가득 담겨 있을 때가 많았다. 오빠는 나의 언니들이 눈에 띄기만 하면 빨래 좀 해주고 가라 했다. 나도 펌프로 물을 퍼 올리며 거들었다. 마당에 길게 맨 줄에 젖은 옷들이 척척 걸쳐지고 축 늘어진 빨랫줄에 긴 장대를 받쳐주고 우리들은 집으로 왔다.

새언니는 자신을 가꾸는데 열심이었다. 밭을 매고 있을 때 손님이 들이닥쳐도 어느새 방에 들어가 옷을 갈아입고 나왔다. 긴 검정 원피스에 작은 스카프를 멋스럽게 맨 모습은 방금 전까지 몸뻬를 입고 풀을 뽑던 사람이었나 의심이 들 정도였다. 새언니가 조카들과 내가 다니는 학교에 찾아왔을 때 일이다. 노란 저고리와 파란 치마를 입고 머리를 올린 새언니의 모습은 활짝 핀 개나리만큼이나 화사했다. 남자였던 조카들은 그런 엄마를 창피하다며 피했다. 늙은 엄마보다 화사하고 멋진 새언니가 자랑스

박순호

러웠던 내가 졸졸 따라다니며 선생님께 안내했다.

아버지가 돌아가시고 제사를 모시게 된 새언니는 상차림에도 정성을 다했다. 현관 위에 복조리를 걸어 놓고 기쁜 일이나 새 돈이 생기면 넣어뒀다 제사 음식을 장만하는 데 썼다. 제일 좋은 것만 제사상에 올렸고 조카들은 바쁜 와중에도 제삿날은 참석해야 했다. 조상을 잘 모셔야 자식들이 복을 받는다는 믿음 때문인 듯 그러지 못했을 경우 새언니의 불호령은 무서웠다.

새언니는 가끔 앓아눕기도 했다. 불만을 표출하지 못해 가슴에 쌓인 거라 했다. 그런 새언니를 엄마는 안쓰러워했다. 몸에 악귀가 들었다며 무당을 들여 굿을 하는 모습도 여러 번 보았다. 며칠 지나면 툭툭 털고 일어나서 예전 생활로 돌아오는 새언니였다.

환갑이 되던 해 오빠에게 뇌졸중이 왔다. 병원에서도 고개를 젓던 오빠였다. 몸의 반쪽이 마비되고 어린아이가 된 오빠를 밭으로 이끌었다. 바람과 햇볕을 받으며 흙장난을 하는 오빠를 새언니는 지켜보았다. 새언니의 20여 년 인생이 그렇게 흘러갔다. 8년 전 오빠가 돌아가시자 새언니는 자유로워졌다.

새로운 인생을 사는 것 같은 새언니는 지금이 가장 행복한 시기일 것이다. 음악이 나오면 아직도 고운 그 몸짓으로 빙글빙글 돌아가며 춤을 춘다. 얼굴에 분칠을 하고 립스틱을 바르고 빨간 스웨터를 즐겨 입는다. 머플러는 필수품이다. 젊은 날에는 마음에 차지 않는 결혼생활을 지켜내느라 힘들었을 새언니, 중년에는 어찌할 수 없는 현실에 자신을 희생할 수밖에 없었을 새언니. 이제야 세상 사는 즐거움을 알게 된 새언니에게 죽음은 무서운 것일 것이다. 시집올 때 살던 집에서 여전히 농사를 짓고 있는 새언니에게 네 명의 아들들이 수시로 드나들며 효도하고 있다. 아직도 총명한 머리와 굽지 않은 허리로 곱게 나이 들어가는 노년이 되었다. 흔히 하는 농담으로 재수 없으면 백세까지 산다는 말이 있다. 병든 몸으로 오래 사는 걸 두려워하는 말이지만 새언니에게는 100세가 아니라 그보다 더 오래 즐겁게 살길 응원한다..

취미와 특기

나이와 더불어 같이 가야 할 취미가 있었으면 했다. 남편과 자식과 손주가 아니어도 오롯이 나 혼자 힘으로 즐거울 수 있는 것을 찾기 시작했다. 그것은 우연히 내게 왔다. 우연히 왔다는 표현보다는 나를 걱정하는 누군가가 일부러 보내준 것만 같은 생각이다.

5년 전 일이다. 한 달에 한 번씩 만나는 친구가 모임 때 들고 나온 가방이 인기였다. 친구는 색과 모양만 유명브랜드일 뿐 직접 만든 짝퉁이라 했다. 직접 만들었다는 말에 너도나도 만들어 달라며 아우성을 쳤다. 친구는 같이 만들어 보자며 우리를 시장에 데리고 갔다. 다섯 명이 우르르 시장에 몰려다니며 구경하고 짐을 들고 다녔다. 처음 가 본 동대문 시장의 화려함에 매료되었다. 며칠 후 친구네 집에서 모이기로 하고 헤어졌지만 몇 달이 지나서야 만날 수 있었다. 갑자기 남편을 잃고 방황하는 나를 친구들은 기다려 주었다.

학창시절 취미가 뭐냐 물으면 이거다 할 만한 게 없어 아쉬웠다. 특기라고 할 만한 것도 없었다. 초등학교 4학년 때, 설문 조사 한다며 선생님이 나눠 준 쪽지에는 취미를 쓰는 칸이 있었다. '독서'라 썼다. 그 옆에는 특기를 쓰는 칸도 있었다. 취미와 특기는 어떻게 다른지 몰라 고민하다 '음악 감상'이라 적었다. 옆 짝꿍 것을 슬쩍 보니 달리기라 쓰여 있다. 그 애보다 뭔가 있어 보이는 것 같아 기분이 좋았다.

　노래를 해야 할 자리에서 주눅 들고 스트레스를 받을 때마다 그때 생각이 났다. 영화 '아마데우스'에서 살리에르처럼 초등학교 때부터 열망은 있고 실력은 없는 아이였나보다. 나도 뭔가 잘할 수 있는 게 있었으면 했다. 하나의 악기라도 배워보려고 하모니카와 기타 학원을 들락거렸지만 제일 못하는 것만 건드렸으니 잘 될 리 없었다. 이것저것 시도해 보다 포기한 게 더 많았다.

　20대 후반에 배운 목각이 오랜 기간 나의 취미가 되었었다. 나무를 깎고 다듬어 작품을 만들고 글씨도 새기는 일이 결혼 후 부업까지 했으니 특기가 되었다. 나무를 다루는 일이라 단독주택에 살 때에는 마당에서 할 수 있었지만, 아파트로 이사 온 뒤에는 쉽지 않았다. 다른 공방을 찾아보았지만 마땅한 곳이 없어 결국 접어야 했다. 문화센터를 기웃거리다 수필반에 정착했지만 취미까지는 아니었다. 모름지기 취미란 내가 좋아서 해야 하는 일인데 글쓰기가 스트레스를 주는 때도 많았다.

　친구가 재봉틀에 앉아 천을 박아 주면 우리들은 뒤집고 손으로 가방끈을 다는 작업을 했다. 일에 몰두하는 과정이 좋았다. 어렵지 않아 보였다. 나도 할 수 있을 것 같았다. 친구들이 각자 멋진 가방을 받고 기뻐할 때, 나는 패턴을 챙겼다. 그것이 시작이었다.

젊은 날 한복을 만들 만큼 솜씨가 좋았던 언니와 함께 동대문 시장으로 갔다. 친구와 갔던 가게에서 원단을 사고 필요한 부재료를 샀다. 배운 대로 내가 가위로 천을 자르면 언니는 재봉틀을 밟았다. 언니의 손을 거치자 신기하게도 더 매끄러운 가방이 만들어졌다. 우리는 흥분했다. 다시 동대문으로 향했고 주말이면 자매들의 쉼터인 용인 집으로 달려갔다. 뭔가에 몰두하는 나를 보며 언니와 동생들이 소리 없이 모여들었다. 솜씨 없는 우리에게 이것저것 주문하며 조카들도 응원했다.

이왕이면 좀 더 잘해보고 싶어 양재학원에 등록하고, 배운 것을 실습하며 범위를 넓혀갔다. 사각거리는 가위질 소리, 들들거리는 재봉틀 소리, 입었다 벗었다를 반복하며 깔깔거리는 소리들이 용인 집을 가득 채웠다. 새로운 것에 도전하느라 뜯었다 박았다를 반복하다 보면 잠 못 드는 밤도 흘려보낼 수 있었다. 혼자만의 세계에 갇히려는 나를 사람들 속으로 이끈 것이 바느질이었다.

아들과 딸도 힘을 보탰다. 재단용 책상과 오버로크 미싱을 놓아주고 마네킹까지 들여놓으니 제법 공방 같은 모습이 되었다. 바늘에 실도 꿸 줄 몰랐던 내가 언니의 손을 빌리지 않아도 옷을 만들어 입을 정도가 되었다. 시작은 내가 했지만 언니도 동생도 양재학원을 다니고 있다. 미싱 한 대가 세 대로 늘어났고 오버로크 미싱도 두 대나 되었다. 주말마다 자매들이 모일 이유가 더 많아졌다.

어릴 때는 내가 무엇을 좋아하는지도 모르면서 자랐지만 이제는 안다. 산에 가는 것을 좋아하고 사진 찍는 것을 좋아하고 글

쓰는 것도 조금은 좋아한다. 그중에서 제일 좋아하는 건 멋진 옷을 만들기 위해 고민하고 새로운 것을 찾아 시장을 누빌 때다.

나이를 먹어도 할 수 있는 일이 있어 좋다. 혼자 있어도 외롭지 않은 일이 있어 좋다. 같은 곳을 바라보며 작업할 수 있는 자매들이 있어 더 좋다. 내가 만든 옷을 입고 사람들이 더 멋쟁이가 되는 모습을 볼 수 있는 날이 오기를 꿈꾼다. 취미를 넘어 특기라고 말할 수 있는 날이 오기를 꿈꾼다.

박순호

빈 둥지

이은정

종교에서 말하는 신의 역할이 그런 거 같다. 지금 당장은 시련에 빠진 것처럼 보이지만 결국 좋은 것을 주기 위한 과정이라고, 그러니 무조건 믿으라 한다. 그 과정에서 원망과 하소연이 생기고 우리의 좁은 소견 속에 가두어 놓고 그의 뜻을 마음껏 재단한다. 그래도 신은 큰 뜻이 있으므로 흔들리지 않는다. 부모의 역할도 그와 크게 다르지 않은 것 같다. 당장은 원망을 해도 부모로서 내다보는 앞날은 아이의 생각보다는 앞서 있다. 그렇다고 부모가 닦아 놓은 길로만 다녀야 한다고, 그래야 안전하다고 아이를 꽁꽁 싸맬 수 있을까. 그러고 싶었다. 뻔히 보이는 돌길에 저렇게 어설프게 뛰어가면 넘어질 게 분명한데 보고만 있는 것만큼 괴로운 건 없다. 아이가 성장하니 논리만 앞서 넘어져 봐야 다음에 넘어질 때 어떻게 하면 덜 다칠 수 있는지, 어떻게 빨리 일어나면 되는지 아는 거라고 항변한다. 그 말이 맞다는 걸 알면서도 안 넘어지도록 도와주는 게 엄마 역할인 것만 같다. 아이와 관계를 유지하기 위해 쓴소리를 안 하면서 넘어지지 않기도 바라는 것이 훌륭한 엄마가 되는 길이라 착각하면서.

첫 아이로 부모의 시행착오를 고스란히 겪어 유난히 많이 넘어지고 그래도 씩씩하게 툭툭 털고 일어나곤 했던 딸이 독립을 했다. 싸운다는 것도 감정의 애무가 될 수 있는지 많이 싸웠지만 가장 의지하는 아이이기도 하다. 가슴속에 커다란 구멍이 생겼고 그 구멍 사이로 한겨울의 차가운 바람이 드나든다. 독립하면서 마련해 줘야 할 것들이 많았다. 가슴속에만 구멍이 생긴 게 아니고 지갑에도 구멍이 생겼다. 아이는 제가 원하는 것을 아빠의 잔소리를 피해서 내 귀에 속살거린다. 어느 순간 시련을 주는 신에 빙의한 나는 핑계를 대며 줄다리기를 시작했다. 지금 당장 힘들어도 종국에는 저한테 좋은 것이라 위안하며 그런데 그게 과연 맞는 건지 의아해하며 고비를 넘겼다. 본인의 행동에 의문을 가지지 않고 거대한 계획에 확신이 있는 신이 부러울 지경이었다. 매 순간 아이에게 달콤한 말만 해 주고 원하는 것은 아주 작은 것이라도 다 해주고 싶은 유혹에 빠진다. 아주 강렬한 유혹이다. 모든 어미는 제 몸을 해하여 자식을 먹인다. 나는 커피를 사 먹고 옷을 사기 위해 엄마한테 손을 벌렸다. 대학생이 셋이었던 때라 숨가쁜 엄마는 근심스런 표정을 지었고 돈을 받아 든 나는 모른 척했다. 세 아이가 번갈아 손을 내밀면 나도 저절로 그때 엄마의 표정이 된다. 그래도 엄마는 한 번도 거절한 적이 없다. 나는 뒤늦게 경제 교육을 시킨답시고 잔소리를 해댄다.

나의 둥지엔 두 아이가 남아 있고 둘 다 중요한 시기다. 취업이 코앞인 대학 졸업반에 고3이 되는 막내, 외동이었다면 집안의 폭군이 될 시기에 둘은 바쁜 엄마를 찾지 않고 서로 의지한다. 아들들은 내가 쫓아다니며 애정표현을 하면 큰놈은 의무적으로 시늉을 해주고 막둥이는 세상 귀찮은 표정으로 '쯤..' 한다.

저녁에 소파에 앉아있으면 호시탐탐 내 옆자리를 노리는 건 남편과 늙은 개밖에 없다. 살 맞대고 앉아 종알종알 떠들던 딸이 없으니 귓가에 환청이 들린다. 말로만 듣던 빈 둥지 증후군, 신에게는 아직 12척의 배가 남아 있다던 장군의 말처럼 나에게는 아직 너무 이쁜 두 아들과 껌딱지 남편과 개 한 마리가 남아 있는데 대체 어디가 빈 둥지라는 걸까. 갱년기라는 말도 용인할 수 없었다. 나는 갱년기가 올 나이와 상태가 아니라고 몇 년 전부터 얕은 잠을 자면서도 억지로 부인하고 있다. 조금만 나아지면 이제 끝났다고 안도하곤 했다. 그러나 아이의 독립과 맞물려 공허한 몸과 마음이 여실히 드러났다. 영원히 나간 건 아니라고 언제든 원할 때 보면 되지 않느냐는 생각은 자기 스케줄이 우선인 아이로 인해 2주 만에 무참히 깨졌다.

서울로 떠나는 고속버스에 날 태우고 창밖의 엄마는 돌아서서 눈물을 훔쳤다. 혼자 떨어지는 게 두려운 24살의 나는 '어떻게 애를 혼자 보낼 수 있지?'라고 살짝 원망 섞인 투정을 했었다. 이제는 엄마의 눈물이 또렷이 보인다. 나중에 엄마는 그때 집으로 가면서 많이 울었다고 했다. 그때 떠나온 집엔 영영 돌아가지 못했다. 엄마는 '이제 내 심정 알겠제.' 하신다. 나는 장난스레 아니~ 라고 큰소리친다. 씩씩한 척하는 것이 엄마에 대한 최고의 효도라 생각하면서 집으로 돌아가고 싶은 수많은 날들을 참아왔기 때문이다.

두 시간 거리의 자취방을 정리해 주고 나오면서 남편은 나보고 계속 '우는 거 아니지? 울면 안 돼..'라고 놀리듯 말한다. 약이 올라서 눈물이 쏙 들어갔다. 그 잠깐의 눈물로 끝나는 것이 아니라 그 이후로 오랫동안 서서히 이별의 사무침에 잠겨들 거라는 걸 안다. 나는 이렇게 글을 써 풀어낼 수 있지만 좋아하던 술도 거의 안 마시는 남편은 뭘로 풀어낼 수 있을까. 그래서 요즘 더 내 눈치를 살피나 보다. 슬쩍 손을 내밀어 잡으려다 찰싹 얻어맞기 일쑤다. 아이들에게 애정표현을 할 때면 3번으로 줄서서 기다린다. 두 명 뽀뽀해 주고 나서 자기 차례를 기대하며 볼을 들이민 남편은 내 아들 아닌데? 하고 꼬집어준다. 장난으로도 빈 마음이 채워지지는 않지만 함께 차곡차곡 쌓아온 시간으로 인해 서로를 자신보다 더 잘 알게 되었다. 이제 도망가기는 글렀다. 빈 둥지에 늙은이 둘이 남아 투닥거리다 언젠가 혼자가 되겠지. 열심히 마음의 준비를 한다고 해도 실전은 연습과 다르다. 비어 있든 채워지든 그렇게 흘러가 버리는 것이 인생인걸. 그건 그거고 따님이 허락하시어 아이의 집에 가기 위해 짐을 싸는데 우리 집 살림이 헐렁해졌다. 싸도 싸도 아쉬운 게 보인다. 무겁게 보따리를 싸서 서울역에 내리던 엄마의 모습도 겹쳐 보인다. 그렇게 철없던 아이는 그때의 엄마를 만났다.

놀 줄 아는 남자

우리는 아는 것과 아는 것 사이 모르는 부분의 간극을 메우기 위해 상상력을 동원해 그 빈칸을 메운다고 한다. 사람에 대해서도 마찬가지다. 세대를 지칭하는 단어를 보면 그들을 ○○세대라는 범주 안에 집어넣어 이름 붙이고 특정해 그 세대를 쉽게 이해하려 한다. 간혹 나를 잘 알지 못하는 친구가 나에 대해 단언할 때가 있다. 내가 생각하는 나와 다른 방향으로 말이다. 그럴 때 좀 당황스럽고 불쾌하기도 하다. 한 개인의 무한한 잠재력과 다양성을 한정된 범주 안에 가두려는 시도는 참으로 불손한 것이 아닐까. 어떤 대상을 이해하려면 가능성의 문은 열어놓아야 최소한 편협했단 소리는 듣지 않을 것 같다.

그런데 여기 참 투명하고 나에 의해 해석되기를 즐기는 남자가 있다. 아무리 무한한 잠재력과 다양성을 존중해 주고 싶어도 그 바닥과 내면을 쉽게 들키고 마는 사람이다. 나의 신랄한 해석조차 본인에 대한 관심으로 받아들이는 건 덤이다. 긍정적으로 본다면 내 앞에서 어떤 가식이나 이중성을 보이지 않았기 때문에 너무나 명확하게 파악되는 것이기도 하겠다. 아니면 나도 그의 잠재력을 무시하고 다 이해했다고 착각하는 것일까. 그렇지만 가끔 본인의 해석에 쉽게 동조해서 내게 확신을 주곤 한다. 그는 집안 분위기 때문에 혹은 본인의 기질 때문에 제대로 놀 줄을 모른다. 취미가 없는 그의 유일한 유흥은 퇴근 후 술자리에서 곤드레가 되도록 마시는 일이다. 게으른 것과 노는 것을 동일시하고 멀리 나돌아다니는 것은 세상 쓸데없는 일이라 여긴다. 집에서 누워 쉬는 것과 자는 것이 유일한 스트레스 해소법이라고 생각하고 말이다.

그런 그가 언제부터인지 목적 없이 밖으로 나가는 게 당연해졌다. 아이들이 성장해서 같이 여행 가려면 시간 맞추고 의향을 떠보고 싫다는 걸 설득하고 소원까지 들어준 다음에야 겨우 대동할 수 있게 된 후부터인 거 같다. '그냥 둘이 가자.' 어느 명절에 시작된 이 멘트가 주문처럼 그 이후에 수시로 등장했다. 이 주문은 법이 되어 우리 부부를 매 주말 눈 뜨면 합의도 없이 주섬주섬 나서게 했다. 요즘의 화두는 몇 년 안 남아 보이는 늙은 개를 대동하느냐 마느냐이다. 보살핌의 대상을 눈으로 쫓는 것이 익숙한 우리에게 아이들 대신 눈 둘 데를 제공하기도 하지만 맛집이라도 들어가려면 여간 신경 쓰이는 게 아니다.

개를 데리고 혹은 둘이 나서면 그때부턴 쭈뼛거리는 그를 제치고 온전히 내가 앞장선다. 그는 그동안 안 해본 건 아니지만 지금과 같은 여유를 부리며 제대로 즐긴 적은 없었다. 항상 끊임없이 목표를 만들고 그것만이 자신의 존재 이유라고 생각했다. 그에게 논다는 건 시간 낭비 에너지 낭비였고 내게는 살아갈 힘을 주는 에너지원이었다. 첫째 아이는 아빠를 닮았다. 그 아이가 취업 준비할 때 너무 힘들어 보여 마침 여름 휴가철이기도 해서 억지로 끌고 나갔다. 매몰되어 있는 현실에서 한 발자국 떨어져 보란 뜻이었다. 당시 그걸 이해 못한 아이는 결국 풍

이은정

광 좋은 휴가지에서 눈물 콧물 흘리며 나를 원망했다. 그나마 다행인 것은 몇 년 후 (취직이 되고 나서야) 그때의 행동을 뼈저리게 후회한다는 점이다. 나도 아이의 불안을 간과하고 외면하려 한 점도 없진 않지만 남편과 나를 지켜본 아이는 결국 어떻게 살 건지 방향을 잡은 것 같다.

내가 밖에서 사람들과 어울릴 때 그들이 내게 인사를 하는 경우가 있다. 운전을 해준다거나 맛집 소개 같은 이유에서다. 그들은 행복하고 힘이 난다고 말한다. 그 말은 사회의 일원으로서 대단한 역할을 한 것 마냥 다시 나를 행복하게 한다. 그러면서 공기처럼 존재가 투명한 가족에게는 무심할 때가 있었다. 공기가 없으면 삶이 지속될 수 없는데 말이다. 이제는 그 소중함이 좀 무겁게 다가오는 것 같다. 주말에 같이 나가면 나는 주중에 받았던 에너지를 나누려 노력한다. 그는 그동안 치열하게 살아왔고 나는 느슨하게 살았다. 이렇게 다른 사람인데 그동안 내가 다 안다고 생각했던 것은 내 착각일 수도 있겠다. 그동안 나는 이해 안 되는 그를 슬쩍 비하했다. 그건 그의 책임이라고도 생각했다. 그의 단점을 정확하게 짚어낼 수는 있지만 그걸 포용해 줄 만큼 너그럽지는 못했던 것 같다. 인간은 끊임없이 변하고 다양성을 가진다. 내가 다 안다고 생각해도 스텔스처럼 감지하지 못하는 부분도 있겠지. 내가 좋아하는 것을 같이 하는 것도 그의 선택이 아닌가.

생활 패턴도 안 맞고 성향도 반대인 우리가 이만큼 합의가 되어온 시간이 대견하다. 요즘은 주말 외출이 곧 운동이고 그것이 한주일의 낙이라고 이게 다 우리 마님(억지로 그렇게 부르라고 시켰다)덕분이라고 한다. 밖에서만 채우던 인정욕구가 집에서

채워지는 순간이다. 술 먹지 않고는 놀 줄 모르던 남자를 맨정
신으로 놀 줄 아는 남자로 만들고 힘나게 해준 것 같아 뿌듯하
다. 수십 년의 유흥 철학이 빛을 보는 요즘이다.

이은정

그 입 다물라

"틀린 말은 못 참죠?"

택시를 타고 코엑스를 지난다. 그 근처에서 오랫동안 근무했다는 기사 아저씨는 자랑을 늘어놓으며 영어를 섞어 말했다. 기사의 자부심에 탄복한 것이 화근이었다. 일장 연설의 시작. 그런데 맞는 말이 하나도 없다. 이래서 나는 택시 타고 갈 때 조용히 가기를 선호한다.

이야기는 맥락 없이 흘러 딸들의 균등상속 이야기까지 왔다. "여자들이 욕심이 많은가 봐요." 본인의 경험인가 보다. 나는 "그걸 일반화하면 안 되죠. 욕심이 많은 게 아니라 그동안 상속에서 배제되어 있다가 자기 목소리를 내니 그렇게 보이는 것 아닐까요."라고 대답하며 위근우의 칼럼을 떠올렸다. '본인이 무엇을 잘못했는지 특별히 인식하지 않고 넘어가도 됐던 남편의 권력화된 무신경함이 문제의 본질이다. 즉 아내들이 분노하는 건, 단순히 상대가 자신의 잘못을 모른다는 사실 때문만이 아니라 몰라도 되는 지위를 누리면서도 그걸 모른다는 것이다.' 재산 상속에서 아들들의 지위도 마찬가지 아닌가. 권력화되고 당연시 여겨지던 지위가 침해받자 발끈하는 것 말이다.

아저씨에게 반박할 거리가 뭔가 한 가지 더 있었던 것 같다. 내릴 때가 다가오자 아저씨는 분했는지 누가 틀린 말 하면 못

참죠? 했다. 방점은 아저씨 말이 틀렸다가 아니라 내가 못 참는
다, 에 찍혔다. 그 순간 죽음 직전의 인생이 파노라마로 지나가
듯 내 입이 화근이었던 순간들이 파노라마로 지나갔다.

아이들이 국제학교 다닐 때 가문도 훌륭하고 사회적 지위도
높다고 자부하는, 늦둥이 아들 때문에 같은 학부모로 어울린 사
람이 있었다. 아이들 발음 애기를 하며 혀가 꼬인 것을 부러워
하며 그 애길 계속 반복하기에 듣다못해 전 영국식 발음이 더
고상하던데요, 했다. 그 순간 그 사람은 입을 다물었고 그 이후
로도 내 앞에서 다시는 입을 열지 않았다. 눈에 띄게 차가운 표
정은 덤이었다.

어차피 한국에서는 어울릴 일이 없어 보여 아쉽지는 않았지
만 그때 엉터리 사대주의로 뱃속이 뒤틀려도 조금만 참을 걸 하
고 생각은 해 본 적이 있다. 틀린 말을 듣고 참지 못하는 내가
문제인가. 틀린 게 아니라 생각이 다른 것일 뿐일까. 학교 다닐
때도 불쑥불쑥 나오는 날 선 말들 때문에 스스로 당황한 적이
한두 번이 아니다. 친구들 사이에서 내 평가는 '착한 친구'였기
때문이다.

우리 아이들은 친구들한테 팩트 폭력을 하는 건 다 엄마 때문
이라고 한다. 요즘 세대는 그래도 되는 분위기이지만 나는 온화
한 중년 여성의 가면을 쓰고 싶은데 이 입을 어쩌면 좋을까.

팩트는 지구가 둥글다는 것만큼의 진리다. 가족에게 독설을
날려 놓고도 팩트잖아? 라고 내 말이 맞다는 것으로 결론을 내
린다. 그런데 우리 식구에게 밝히지 않은 비밀, 내가 잘난 척하
다가 미끄러진 수많은 사연들, 그 또한 수필 한 편은 나오겠다.
환경에 따라 생각이 얼마나 쉽게 변하는지 세상에 팩트라는 것

은 주장하는 사람의 입맛에 따라 한계가 얼마나 명확한지 말이다.

지구 사진을 보여줘도 여전히 지구는 네모라고 믿는 사람의 생각을 내가 어떻게 바꾸겠는가. 이제는 누군가 강하게 자기주장을 하면 나도 더이상 말을 섞지 않는다. 그런데 한 번씩 여성해방 투사의 기질이 나오는 건 어쩔 수 없다. 남의 말을 듣는 것, 이것이야말로 내가 가진 강점이다. 거기서 그쳤어야 했다. 난 듣는 걸 좋아한다. 그것이 그나마 내 입을 다물게 하는 방법이다. 틀린 걸 찾아내며 들으면 반박해야 하지만 열린 마음으로 이야기를 듣고 있다 보면 누구나 다 이유가 있고 상처가 있다. 그렇게 생각하면 내게 독설을 날릴 권리는 없다.

아이들이 크고 마음이 여유로워지며 나는 충분히 내 범위를 넓혀서 많은 걸 포용할 수 있을 줄 알았다. 나이 들면서 너그러운 마음을 가질 것인지 노화를 핑계로 옹졸해질 것인지의 갈래 길이 있다. 너그러워지는 게 저절로 되는 것이 아니고 이렇게 어려울 줄이야. 내 기억과 경험은 내겐 전 우주이지만 다른 사람에게는 한줌의 모래더미이다. 서로의 한줌 세계가 모일 때 우주가 채워진다는 걸 생각하면 내가 조금 확장되고 내 입이 순화될까. 너그러운 중년 여성인 척 연기를 하다 진짜 인성이 변하게 되길, 기대해본다. 입은 더 꼭! 다물어야겠다.

강귀분

탈놀이
방향을 바꿔라
넌, 감동이었어

이남수

땅
너에게
그리운 엄마

주어진 역할에 최선을 다했다고 여긴 나의 탈놀이, 탈을 벗고 분장을 지운다. 흩어지는 관객들, 떠나가는 핏줄들, 스러지는 나의 그림자, 달빛도 기울었다. 탈도, 가면도, 베일도, 가리개도, 부채와 지팡이도, 영험한 듯 미래를 점쳐주던 방울도, 흠결을 숨겨주던 오방색의 색동옷들까지 불 속으로 던진다. 오로라가 피어오르듯 아름다운 연기의 무지개가 뜬다. 말간 쌩얼굴의 나 혼자 남았다. 태초에 내가 있던 곳에.

-탈놀이-

다시 거울을 들여다본다.
바위도 세월의 흐름 속에 부서지고 모래가 되리라. 이제는 모래가 되어 바람이 부는 대로 자유롭고 싶다. 앞으로 좀 더 가볍게 자유로워질 너에게 응원을 보낸다.

-너에게-

탈놀이

강귀분

모자, 선글라스, 마스크를 쓰고 지하철을 탔다. 도착지까지 시간을 계산하고 눈을 감는다. 나는 잠시 꿀잠을 자기도 하고 생각에 빠지기도 하는 그 시간을 즐긴다. 살짝 잠 속으로 빠지려는데 옆자리에 앉은 여인의 시선이 내 옆얼굴을 살살 쓰다듬는다. 잠 속으로 미끄러지는 내 의식을 살짝 흔들어 그녀를 찬찬히 살피는데 안경 너머로 눈이 마주쳤다. 익숙하다. 어디서 많이 본 사람인데 머리 모양, 입고 있는 체크무늬 셔츠까지. 나는 몽롱한 의식으로 그녀의 마스크 속 얼굴을 탐색하며 말을 건넸다. "마스크 벗어 볼래요?" 말을 하고 보니 쏟아진 물이었다. 생면부지의 초면에 거두절미하고 마스크를 벗으라니? "뭐라고요?" 별꼴 다 보겠네 하는 말투였다. "아는 사람 같아서….." 기어들어가는 소리로 우물우물했다. 나는 나보다 젊은 사람을 대할 때 '너도 내 나이 되어봐라'하고 본론만 말하는 버릇이 있다. '내가 아는 사람으로 착각했어요, 실례했어요.'하고 사과하면 될 것을 "같이 늙어가면서 얼굴도 가렸는데 그럴 수도 있지. 까칠하기는….." 나는 사과 대신 상대보다 더 노인임을 벼슬처럼 내세우며 속으로 구시렁거렸다. 잠시 동안 서로를 응시하다가 거의 동시에 "뭐야! 권사님! 이럴 수가!" 평생을 친자매처럼 지내는 교회 후배였다. 며칠 전에도 만난 사람이다. 코와 입을 가렸다고 눈까지 안 보이다니!

모자, 선글라스, 마스크까지 쓰고 나면 귀찮은 화장을 안 해도 된다. 감추고 싶은 것이 많은 초라한 늙은이들에게 마스크는 고마운 존재다. 내 맘대로 시계를 거꾸로 돌려 좀 더 젊고 멋있고 근사한 40~50대 매력적인 여인이 되어 보기도 하니 좋지 않은가! 이참에 벙거지 사이로 빠져나온 흰 머리카락도 염색을 해 버려? 나를 감추고 타인을 탐색하는 그 순간 나는 마스크 속에서 하늘을 날면서 자유를 만끽한다.

전통 탈과 마스크의 사전적 의미는 같다. 필요에 따라 쓰임새에 따라 명칭이 조금씩 다를 뿐이다. 마스크는 인류의 탄생과 거의 맞물린다. 베일로 얼굴을 가리고 거리의 여자로 변장하고 시아버지를 유혹해서 앙갚음했던 다말은 태초에 창세기에 등장한다. 고대 사제나 무녀가 제사나 신접할 때도 가면이나 베일로 주술과 현실을 맞물리는 분위기를 연출했다. 고대의 가면은 곧 범접 못하는 신의 얼굴이었다. 야구의 포수나 펜싱 선수의 얼굴 보호 장구로도 쓰였고 신분을 감추기 위해 우리나라 여인들이 썼던 쓰개치마도 반가 여인들의 필수품이었다. 중세기 프랑스에서는 추녀임을 숨기기 위해 베일을 썼다고도 한다. 결혼식장에서 순결한 신부의 상징 같은 망사 베일을 벗겨주던 엄숙한 신랑 모습이 아직도 내 기억에 아련히 남아 있다. 시대가 빠르게 변하고 있지만 이슬람은 아직도 히잡 착용 문제의 찬반이 엇갈려 많은 여성들이 고통 받고 있으며 살인까지 한다.

이제는 트로트 공연에 밀려났지만 명절 때는 TV마다 마당놀이 공연을 신명나게 펼치던 시절이 있었다. 나는 마당놀이 중에서도 봉산 탈춤 공연을 즐겨 보았다. 탈놀이는 인간의 삶과 꿈, 희망이 존재하는 우리 삶의 축소판이다. 탈놀이꾼들이 뿜어내는 신명과 열정, 노래와 대사를 통해 사회 현안과 양반들의 부조리를 욕설과 풍자로 고발할 때는 민초들에게 대리만족을 주고 가려운 곳을 시원스레 긁어주고 카타르시스를 선물한다. 조명도 없는 대갓집 마당, 몽환적인 보름달 아래 탈을 쓴 놀이꾼들이 풀어내는 유연한 춤사위. 달빛 아래 탈놀이는 생각만으로도 꿈같은 낭만이다. 놀이 구경은 뒷전, 으슥한 곳에서는 남녀의 뜨거운 상열지사가 은밀하게 펼쳐지지 않았을까?

　나는 봉산 탈춤에 등장하는 정의의 사내 말뚝이의 광팬이었다. 그가 쏟아내는 정의로운 욕설과 신명은 저절로 춤을 추게 하고 관중을 무대로 불러낸다. 화려한 복장과 술에 취해 비틀거리며 산발한 장발 사이로 언뜻 보이는 수려한 이목구비, 환속한 오입쟁이 땡중 취바리는 규방 여인들을 설레게 했다. 또 한 사람 등장인물 미얄할미. 지팡이와 방울, 짚신 한 짝을 허리에 매달고 배꼽을 내놓은 채 난리 통에 헤어진 영감을 찾아 나선다. 천신만고 끝에 영감을 찾았지만 첩에 미친 영감에게 맞아 죽는 장면에서 "이봐요! 할멈! 바보같이 당하지만 말고 영감이 장풍을 날리면 할멈은 풍구를 세게 돌려! 바람은 맞바람으로 되받아치는 거야!" 각본에도 없는 장면을 자기 맘대로 벌떡 일어나 허공에 주먹을 날리지 않았던가? 삼복염천에 파리똥이 얼굴을 덮어도 꿈쩍도 하지 않는 바위 같은 묵중이의 참을성. 참지 못하여 매사에 그르치기 잘하는 나는 훔치고 싶도록 탐이 나는 성정이다.

　명장들은 탈을 만들 때 자신의 정신과 혼을 불사르고 창의성

강귀분

과 독창성 예술혼을 불어넣고 개성을 부여한다. 마당놀이 시즌
이 끝나면 명장들의 손끝에서 혼과 기의 결합으로 태어난 탈들
은 화려한 오방색의 공연복과 함께 남김없이 불에 태워 연기로
날려 보낸다. 다음해의 놀이마당에서 명장들의 새로운 탈 창의
력의 도출을 위함이다. 세상 모든 피조물의 소멸과 생성의 순환
을 묵시적으로 보여주며 미련도 아쉬움도 불 속으로 던지는 저
들의 행동 또한 행위 예술이다.

산다는 것은 탈 만들기 작업이 아닐까? 사람은 평생 자신도
모르는 사이에 여러 개의 탈을 만들고 필요에 따라 바꾸어 쓴
다. 감추고 포장하기 위해 조각과 칠을 반복하고 덧붙이고 잘라
낸다. 나도 살면서 많은 탈을 만들어 쓰고 버렸을 것이다.

나의 마당놀이도 일곱째 마당 파장이다. 두렵다. 가장 두려운
것은 그럴듯한 사람의 탈을 쓰고 짐승의 짓거리를 저지르지는
않았을까? 주어진 역할에 최선을 다했다고 여긴 나의 탈놀이,
탈을 벗고 분장을 지운다. 흩어지는 관객들, 떠나가는 핏줄들,
스러지는 나의 그림자, 달빛도 기울었다. 탈도, 가면도, 베일도,
가리개도, 부채와 지팡이도, 영험한 듯 미래를 점쳐주던 방울도,
흠결을 숨겨주던 오방색의 색동옷들까지 불 속으로 던진다. 오
로라가 피어오르듯 아름다운 연기의 무지개가 뜬다. 말간 쌩얼
굴의 나 혼자 남았다. 태초에 내가 있던 곳에.

방향을 바꿔라

자정이 다 된 시간에 수백 미터가 넘는 긴 강의 다리를 여자가 홀로 건너고 있었다. 달빛도 없는 캄캄한 그믐밤. 외등도 없고 가끔 지나가던 군용차도. 인적도 완전히 끊겼다. 전쟁 중에 군수물자를 나르기 위해 철도 침목을 연결하여 임시로 건설한 다리가 바닥에 구멍까지 뚫려 있어 낮에도 발밑을 살피며 걸어가야 하는 위험한 곳이다. 하이힐의 또박또박 소리가 적막한 밤공기를 가르며 멀리 울려 퍼졌다.

그날은 일이 늦게 끝났다. 신입사원이던 나는 회식에 빠지겠다는 말도 못 하고 막차를 놓치고 말았다. 합승 택시로 면 소재지까지 왔지만 강 다리를 건너 2킬로가 넘는 집까지는 걸어서 가야 한다. 버스 종점 근처에는 구멍가게가 있었다. 지나가는 행인에게 시비를 걸어 싸움질을 하거나 여자들을 희롱하는 불량배들의 집합소다. 그 시절 어설픈 시골 깡패들 모이는 장소가 어느 지역이든 있었다. 나는 무심코 그 가게 앞을 지나쳤다.

다리를 반쯤 건너가고 있을 때 뒤에서 서너 명의 거친 발소리가 뒤섞여 따라오고 있었다. 저들도 소리를 내지 않으려고 조심스레 따라오는 듯했지만 고요한 밤공기를 가르며 거친 숨소리까지 내 귀에 들려왔다. 순간 나는 큰 위기가 닥치고 있음을 직감하고 재빨리 하이힐을 벗어 들고 맨발로 뛰기 시작했다. 머리가

강귀분

하얗게 비고 침이 마르고 심장이 거칠게 뛰고 있다. 들짐승들이 작은 새끼 양을 찢으려고 떼를 지어 몰려오고 있다. 급박하고 무서웠다. 나는 어디에 숨을 것인가? 죽을힘을 다해 뛰면서 애타게 하나님을 부르고 있었다. "하나님! 나 어떻게 하죠? 살려주세요!"

절체절명의 순간. 다리를 거의 건넜다. 이때다. 눈에 번개가 번~쩍 하더니 큰 천둥소리가 꽝~하고 머리를 때렸다. 고막이 터질 듯한 소리. "방향을 바꿔라!"였다. 우리 집은 직진이다. 왼편은 낭떠러지. 오른쪽이라고요? 강을 건너자마자 오른쪽은 강둑이 길게 뻗어 있고 둑방 끝에 멀리 동네가 있다. 강으로 면한 둑은 장마에 대비하여 축대를 쌓고 강물이 닿는 곳은 잡목과 가시덩굴이 엉키고 잡초가 무성하다. 들쥐와 뱀이 자주 보여 사람들이 다니지 않는 음침한 풀숲이다. 나는 그곳으로 미끄러져 몇 바퀴를 굴러 가시덤불 속에 파묻혔다. 죽은 듯이 엎어져 있었다. 이마에서 끈적한 피가 눈으로 흘러들어 아무것도 보이지 않았다. 내가 죽은 건가? 생사의 경계가 아득했다. 뒤쫓아 온 그들이 수풀을 헤치며 "이 근처에서 없어졌어. 분명 여기 숨었어. 지가 어디 갔겠어?" 이리저리 풀을 헤집으며 한참을 찾고 있었다.

얼마나 지났을까?

멀리 떨어진 동네 쪽에서 여러 마리의 개들이 일제히 짖기 시작하고 한 떼의 사람들이 손전등을 흔들면서 이 방향으로 다가오는 것이 작은 점으로 보였다. 의외의 상황에 놀란 그들은 황급히 오던 길로 도망쳤다. 그날 밤이 늦도록 집에 오지 않는 나를 마중 갔던 아버지는 종점 근처 대포 집 앞에서 친구를 만나

술 추념을 하느라 딸의 마중을 잊고 있었다. 그날 밤늦게 초상집을 다녀오던 문상객들과 짙은 어두움이 나를 지켜주었다.

다리가 끝나는 지점에서 오른쪽. 강을 따라 길게 난 둑방 길은 차도 못 다니는 좁은 길이다. 마을과의 거리도 아득히 멀다. 겁에 질려 머리가 마비된 내가 어떻게 그곳으로 숨었으며 온 동네 개들은 어째서 한꺼번에 짖었을까? 갑자기 등장한 문상객의 출현은 기적 중의 기적이 아닌가?

만신창이로 크게 다친 나는 며칠 동안 앓아누웠다.

나의 20대. 가망 없던 세계 최빈국에서 두 세대 만에 많은 것이 변하고 선진국 소리를 듣게 되었다. 역사에 없었던 기적의 풍요를 누리며 잘살게 되었는데 국민들의 의식도 가치관도 문화도 진정한 선진국이 되었나? 우리는 모두가 행복한가? 법 위에 가중 처벌법이 만들어지고 제도가 바뀌어도 가지가지 범죄 방법과 수치는 저만치 앞서간다. 하나님의 창조의 의도대로 양성 평등과 인간다운 존엄으로 서로 존중하며 사는 그날은 한낱 꿈일 뿐인가?

영동고속도로를 가다가 보면 멀~리 그 다리가 보인다. 철도 침목으로 만들었던 엉성했던 다리가 콘크리트 구조물로 웅장하고 아름답게 의젓한 모습으로 서 있다. 나는 더 빠른 서울 양양 간 고속도로가 생겼는데도 영동고속도로로 다니기를 고집한다. 그때 내 귀에 천둥치듯 들렸던 윗분의 다급하고 안타까웠던 그 음성을 환청이라도 다시 듣고 싶어서다. 그 다리 위에 잠깐 멈추어 묵념하듯 눈을 감고 있으면 반세기 전 추억 속의 그분의 햇살 같은 따듯한 은총이 가슴 한가득 차오르고 눈가에 이슬이 맺힌다. 너를 낳은 어미는 혹시 잊을지라도 나는 결코 잊은 적

강과 봄

이 없다. 약속하신 내 하나님. 사는 동안 하나님은 내게 수없이 소리를 치셨을 것이다 "멈춰라! 방향을 바꿔라!" 나는 헛되고 헛된 것에 한눈을 파느라고 그 엄중하신 하늘의 소리를 듣고도 못 들은 체 내 맘대로 살았다.

누가 뭐라 해도 나는 확신하고 또 확신한다. 믿는다. 그때, 그 천둥소리 속에 들리던 소리는 벼랑 끝, 낭떠러지에 매달린 나를 살리신 하나님의 구원의 밧줄이었음을. 그 사랑의 음성이 날마다 애가 타고 눈물 나도록 그립다. 어쩌다가 내가 하늘 아버지 그분을 감히 아버지라 부를 수 있는 특권을 누리고 있을까? 나는 오늘도 서녘 노을이 짙어 가는 요단강 강가에 서서 "사느라 수고했다. 어서 오너라!"는 하늘 아버지의 다정한 마중을 기다린다.

넌, 감동이었어

잉태되면서부터 유산기가 있어 할미의 눈물 기도의 끈을 잡고 열 달 동안을 겨우 버텨 아기가 태어났다. 빨갛고 조그만 아기를 받아 안았을 때 콩닥거리던 작은 심장 소리. 형언키 힘든 생명의 소리가 내 가슴을 울릴 때 나는 감격의 눈물을 흘렸다.

일하는 어미 대신 아기를 키우던 나는 외출 때면 아기를 가슴에 매달고 다녔다. 할미를 올려다보며 유난히 옹알이가 많던 아이. 어떤 때는 숨이 차도록 옹알이하는 아기와 눈을 맞추느라 가던 길을 멈추고 계단에 앉아서 수다를 주고받았다. 아기가 커서 말로 세상을 쥐락펴락하는 무한한 가능성을 품고 태어났다는 꿈을 키우며 나는 육아의 힘든 나날을 즐겁게 견뎠다.

초등학교에 입학한 뒤로 친구보다 책을 더 좋아하고 늘 혼자여서 걱정이 되었다. 나는 외출할 때나 친구를 만날 때도 늘 데리고 다녔다. 그래서일까? 인이는 어른들의 정서에 더 익숙하고 또래보다 어른스럽고 이웃에 친구가 별로 없었다.

그때 나는 깊은 고민에 빠져 있었다. 돌이 지난 아기를 데리고 미국에 공부하러 간 딸 때문이었다. 아기를 놀이방에 맡기고 학교에 가고 다시 데리러 뛰어다녔다. 추운 겨울날. 조금이라도 늦게 데리러 가면 가방을 둘러맨 아이를 문 앞에 세워 두고 차를 마시며 아무렇지 않게 담소하는 비정한 그들이다. 시험 때는 두 돌이 지난 아이를 도서관에 앉혀 놓고 시험을 치르고 아침마다 코피를 쏟았다. 딸은 날마다 전쟁을 치르듯 살고 있었다. 마침 그때 교회 친구의 조카가 미국에서 마지막 학위 논문을 쓰다가 과로사를 했다는 소식을 들었다. 나는 앞뒤를 따져볼 마음의 여유가 없었다. 고민 끝에 도움이 더 절실한 자식을 돕는 것이 맞다고 생각했다. 아들이 사업장 근처로 분가를 하고 아이를 전학시키는 것으로 정리가 되었다.

인이가 새 학교에 적응하지 못하고 힘들어한다고 했다. 중학교에 가서도 여전히 친구 관계가 힘들고 늘 혼자 책 속에 파묻혀 지내는 아이 때문에 아들 내외는 고민에 빠졌다.

조기 유학을 달가워하지 않던 아들이지만 돌볼 수 없는 한계를 고민하다가 떠밀리듯 중국의 국제 학교로 유학을 보냈다. 모든 문제가 내 탓인 것 같아 나는 죄책감에 새벽마다 교회에서 무릎을 꿇고 울었다.

다행히도 잘 적응한다는 소식을 들었다. 새로 들어온 후배들을 보살피고 의젓한 언니가 되었다는 소식이다. 먼저 겪은 힘든 과정을 통해 영혼이 성숙해진 인이. 천성이 착하고 따뜻한 성품을 가진 아이. 따뜻이 보듬어주는 선배들 덕에 잘 적응하는 듯하여 안심이 되었다.

인이의 명문 대학 합격 소식을 듣던 날 나는 지나가는 아무나 붙들고 자랑하고 싶었다. 내 가슴에 매달려 눈을 맞추며 새록새록 웃던 아기. 할미의 사랑을 빼앗길까 걸음마를 시작한 동생 발을 몰래 걸어 넘어뜨리고, 꼬집어서 울리고 시치미 떼던 심술쟁이가 이제 건강하게 커서 아름다운 숙녀가 되었다. 인이를 세상에 보내신 분께서 꼭~ 필요한 곳에 쓰일 재목으로 잘 다듬으

섰다.

내가 외손녀를 돌보기 위해 미국에 가는 문제로 고민할 때 친구가 말했다." 신중히 생각하고 처신 잘하라고. 자신의 지인이 꼭~같은 상황에 처했을 때 딸네 아이들을 키워주고 수년 후에 아들 집에 갔더니 "젊은 기운을 딸에게 다 쏟고 늙고 병들어서 무슨 염치로 내 집에 왔느냐?"며 매몰차게 내침을 당했다는 말을 했다. 자식의 절박한 상황 앞에서 세상에 어느 어미가 보험 약관을 따지듯 계산기를 두드리며 자신의 잇속만을 쫓으려 할까? 내가 인이를 초등학교 입학까지 돌보고 미국으로 갔지만 아마도 아들은 섭섭했을 것이다.

한 집 건너 비혼자가 널려 있고 인구 절벽으로 나라의 존폐가 걱정될 정도가 되었다. 하나님이 인간을 만드시고 부여하신 중요한 첫 의무가 생육하고 번성하라고 하셨다. 출산과 육아는 많이 힘든 일이지만 자녀를 양육하며 얻어지는 생기 같은 에너지와 넘치는 기쁨이 훨씬 더 크다는 것을 경험하지 않으면 모른다. 이제는 자식이 결혼하려는 상대가 내 마음에 들고 안 들고의 문제가 아니고 결혼하겠다는 의지 자체가 효도이고 자손을 낳으면 가문의 경사를 넘어 애국자가 된다. 세상이 이토록 변해가는 것이 좋은 일일까?

며칠 전 손녀와 데이트를 했다. 영화를 보고 멋진 식당에서 밥도 먹었다. 인이는 넓고 깊고 서정성이 넘치는 언어와 빠른 속도감, 국면전환을 계속하는 영화의 화면을 앞서가며 외국어 대사를 번역하여 넷플릭스에 올리는 일을 하는 전문직 회사원이다. 아기가 숨이 차도록 하던 옹알이는 다국적 언어의 DNA가 언어중추를 자극하여 머릿속에서 경쟁하듯 싹이 트는 신호였는지 모른다. 여러 나라 언어를 번역하는 지금 하는 일과도 어떤 연관성이 있지 않을까? 아기는 자라서 성인이 되었지만 지금도 내 가슴에 꼭~꼭 숨겨놓은 별이고 꿈이고 희망이고 새벽 이슬 같이 영롱한 보석, 나의 첫사랑 아기 그대로다. 나는 세상에 와서 손자 손녀 세 아이를 키운 일을 가장 보람되고 잘한 일이라고 생각한다.

땅

이남수

아버지의 땅을 찾았다. 아버지의 이름, 아버지의 추억을 한꺼번에 떠올리는 땅 한 마지기가 50년 만에 나를 찾아왔다. 아버지의 땀이 배 있는 이 조그만 땅이 어디에 꼭꼭 숨어 있다가 이제 나타났을까? 대부분의 집들이 그랬듯이 우리도 아버지의 모든 땅은 큰 오빠에게로, 그리고 큰 조카에게로 상속되었다. 지금은 오빠들이 모두 돌아가시고 남매 중에서 막내 오빠와 나만 남아 있다. 그러다 보니 우리 둘이서 이 문제를 해결해야 할 입장이다.

이 땅의 존재는 먼 사촌으로부터 알게 되었다. 오래전 한국전쟁이 일어났을 때 사십 리 밖에 살고 있던 먼 사촌은 경찰이었다. 그때 경찰은 공산당의 표적이었고 잡히면 모든 가족이 몰살을 당하곤 했다. 그 오빠는 부인과 두 아기를 데리고 밤을 틈타 우리 집으로 도망을 왔다. 사정을 알고 있던 아버지는 그 가족들을 우리 집 윗방에 숨겨주었다. 동네 사람들도 모르게 며칠을 낮에는 나오지 못하고 숨어서 지냈다. 몰래 밥을 해서 방으로 가져다주고 우리 가족과 오빠네 가족 모두가 숨죽이며 지냈다.

아버지가 돌아가신 후로는 소식을 모른 채로 살아오다가 얼

207

마 전 그 아기들이 자라서 칠십 노인이 되어 오빠에게 연락을 해왔다. 오빠가 몇 년 동안 종정 일을 맡아서 해 왔던 터라 자신들의 땅을 찾는 과정에서 오빠에게 문의를 해 온 것이다. 그리고 자신들의 땅 옆에 붙어 있는 우리 아버지 이름으로 된 땅이 있다면서 오빠에게 다시 연락을 해 왔다.

땅을 찾는 일은 쉽지 않은 과정이라고 한다. 모든 자손들을 일일이 찾아다니면서 도장을 받아야 하고 관공서에 가서 제출해야 하는 서류도 많다고 한다. 오빠랑 나는 운전도 할 줄 모른다. 게다가 80을 넘긴 노인이라 조금만 움직여도 피로로 며칠을 누워 있어야 하는데 그 땅을 찾는 일을 과연 해낼 수 있을까 의문이다. 오빠는 거의 포기한 눈치다. 얼마 하지도 않는 땅 찾는다고 돈도 더 많이 쓰고 우리 몸만 다 상할 수 있기 때문이다. 그러나 난 미련이 남는다. 돈이 문제가 아니었다. 그 땅이 오랫동안 끊어졌던 아버지와의 연결 끈이 되어 손을 내미는 것 같았다.

아버지…. 내게 아버지는 참 무거운 이름이다. 나를 누구보다 사랑하셨지만 가까이 다가갈 수 없는 존재였다. 존경하지만 원망도 있다. 따뜻하지만 엄격함으로 차갑기도 하다. 아버지를 둘러싼 모든 감정들이 너무 많아서 아버지란 이름이 무거운가 보다.

그래도 아버지와의 마지막 만남은 행복했다. 추석이 지나고 날씨가 쌀쌀해지기 시작할 무렵, 첫째아이를 데리고 친정집을 방문했다. 부모님을 뵈러 가는 길에 우리 동네에 있던 유일한 백화점에 들렀다. 좌판에 물건들을 팔던 시장 옆에 수가네라 부르는 중국인이 소유한 건물이 있었다. 그 안에는 미제 물건을 비롯하여 모든 잡화들과 옷을 팔았다. 나는 시장 물건보다 더 좋은 물건을 선물로 사드리고 싶은 마음에 백화점으로 들어갔다.

한 바퀴를 둘러봤을 때 딱 눈에 들어온 스웨터가 있었다. 갈색으로 짜진 폭삭한 스웨터가 아버지에게 잘 어울릴 것 같았다. 평생을 한복을 입고 사셨기 때문에 추우면 솜으로 된 조끼를 입으셨고 스웨터는 한 번도 입어 본 적이 없으셨다. 내가 아버지를 만나러 간 그때, 아버지는 이미 배앓이를 하고 계셨다. 설사를 하시고 체중이 계속 빠지자 서울로 병원도 다니시며 치료했지만 별다른 차도가 없었다. 아버지는 내가 사드린 스웨터를 입고 배가 따뜻해서 너무 좋다고 몇 번이고 말씀하셨다. 그렇게 좋아하시는 모습을 보니 처음으로 아버지께 효도를 해드린 것 같아서 너무 뿌듯했다.

그리고 일 년이 지나 나는 둘째를 출산했다. 출산 후 스무 날도 되기 전, 붓기가 다 빠지지 않아 푸석푸석한 채로 기저귀를 빨고 있었다. 퇴근한 남편은 갑자기 나에게 미장원에 가서 머리를 다듬고 오라고 했다. 몸도 아프고 힘도 들어서 싫었지만 이상하게도 자꾸 권하기에 기분 전환 겸 마지못해 아랫집에 있는 미장원에 갔다. 연탄에 고데기를 데워서 머리를 하고 있는데 갑자기 머리가 핑 돌았다. 몸이 회복되지 않았는데 연탄가스를 마셔서 그런가 싶어 고데를 멈추고 잠시 밖으로 나와 숨을 골랐다.

나중에서야 그 시각에 아버지가 돌아가셨다는 것을 알았다. 남편은 이미 전갈을 받아 아버지가 운명하실 것 같다는 말을 듣고 나에게 준비를 시켰던 것이다. 본가에 다녀온다면서 큰아이를 자전거에 싣고 가서 혼자 돌아왔다. 다음 날 아침, 나는 아버지가 운명하셨단 소식을 들었다. 친정집으로 갔을 때 아버지는 잠을 자듯이 누워 계셨다. 내가 사 드린 스웨터를 입고 해맑은 얼굴로 그렇게 세상을 떠나셨다. 예순넷으로 돌아가신 아버지보다 나는 지금 스무 살이나 더 나이가 들었다. 나보다 더 젊은 아버지가 참 그립다. 아버지의 이름으로 남아 있는 그 땅을 큰조카에게 알아서 처리하라고 이야기했다. 그 땅에서 아버지의 이름이 사라지기 전에 한번은 꼭 가보고 싶다. 그 땅이 나에게 무슨 말을 걸어 줄지 들어보고 싶다.

너에게

1월이 시작되었다. 너에게 변화가 일어날 것 같다.

창 안으로 햇살이 가득히 방을 채운다. 어제 눈발이 흩날리고 기온이 뚝 떨어졌다. 겨울 햇살이어서 그런지 더 따사롭게 느껴진다. 벽에 걸어둔 거울을 물끄러미 들여다보았다. 하얗게 부서지는 빛이 방울방울 날아다닌다. 그 가운데 무표정한 얼굴이 있다. 왠지 낯설어 보여 살며시 미소를 지어본다. 미소를 지으려면 중력을 거슬러 힘을 주어야 한다.

어느새 힘을 준다는 것이 자연스럽지 않은 나이가 되었다. 힘을 빼면 자연스레 모든 근육이 지구 중심으로 향한다. 거울 안에 얼굴은 너의 어머니를 닮아있다. 문득 너가 시집올 때 해 주신 어머니의 말씀이 떠올랐다. 지금 생각해 보니 그 말씀이 네 삶의 등대와 같이 너를 이끌어 주었던 것 같다. '움직이지 않는 바위와 같이 살아라.' 그 말씀을 길잡이 삼아 평생을 살아오다 보니 조금씩은 흔들려도 크게 길을 잃고 헤매지는 않은 것 같다.

어머니는 시누이들이 다섯 명이나 있는 집에 장남에게로 시집가는 딸이 무척 걱정이 되신 것 같다. 그래서 바위같이 묵묵히 자리를 지키고 있으라고 하신 것 같다. 다른 사람들이 앉아 쉬어갈 수 있는 넓은 바위처럼 그저 자리를 내어주되, 하고 싶은 말은 참고 들리는 말은 듣되 가슴에 새겨 아파하지 말라고 하셨다. 바위

211

는 말을 하지 않고 아픔을 새기려 해도 쉽게 새겨지지 않으니, 참 지혜로운 말씀을 해주신 것 같다. 덕분에 너는 시누이들과도 평화로이 잘 지낼 수 있었다. 농사를 많이 지어서 새벽부터 일을 해야 했던 시댁의 일상에 적응하는 것은 힘들었지만 시누이들은 너를 고운 눈으로 봐주고 오히려 어려운 일은 도와주려 애써주었다.

어머니의 말씀은 시집 식구들에게만 적용된 것은 아니다. 남편을 대할 때도, 아이들을 대할 때도 그 말씀이 너 안에서 빛을 발하며 살게 했던 것 같다. 그래서인지 너를 너의 인생의 첫 번째로 놓아본 적이 없는 것 같다. 남편도 떠나고 아이들도 다 각자의 가정을 꾸리고 살고 있지만, 넌 여전히 너를 먼저 사랑하고 신경써야 한다는 말이 낯설다. 오랜 세월 살아온 생활 방식이나 생각을 바꾼다는 것은 무척 힘들다. 몸에 익은 옷을 벗는다는 것은 용기가 필요하다. 무엇이 옳고 그름을 떠나서 익숙해져 있던 너의 껍질을 벗고 새로운 너를 대면하는 시간을 가져보는 건 어떨까 생각한다.

지금까지의 너와 다른 선택을 한다면 앞으로의 삶은 어떤 모습일까 궁금해진다. 먼저 너 자신을 향한 사랑을 채우는 것부터 시작해보면 어떨까. 너에 대한 사랑이 흘러넘쳐 다른 사람들을 촉촉하게 적셔줄 수 있으면 한다. 펌프에 물이 마르면 물을 품어 올리지 못하듯이, 너를 사랑하지 못하면 다른 사람들도 사랑하지 못할 것 같다.

다시 거울을 들여다본다. 바위도 세월의 흐름 속에 부서지고 모래가 되리라. 이제는 모래가 되어 바람이 부는 대로 자유롭고 싶다. 앞으로 좀 더 가볍게 자유로워질 너에게 응원을 보낸다.

그리운 엄마

엄마!

나는 엄마를 '엄마'라고 불러본 기억이 없다. 언제나 '어머니'라고 불렀다. 우리 집이 유독 엄해서 그랬는지, 그 시절엔 어느 집이나 다 그랬는지는 알 수 없다. 시도 때도 없이 '엄마'를 불러대는 아이들과 이야기하다, 문득 '어머니'가 아니라 나의 '엄마'가 사무치게 그리워졌다.

83년 전, 내가 어머니의 뱃속을 나오는 순간을 나는 기억하지 못한다. 어머니가 얼마나 아팠는지, 나를 처음 안았을 때의 어머니 표정이 어땠는지 그리고 내가 얼마나 크게 울었는지, 어머니 젖을 얼마나 힘차게 빨았는지 아무것도 생각나지 않는다. 하지만 내가 우리 아이들 넷을 낳았던 그 모든 순간을 생생하게 기억하듯, 내 어머니도 나를 낳던 그 순간을 다 기억하고 계셨겠지? 아이들은 심심하면 그때를 물어본다. '내 태몽이 뭐였지?' '내 몸무게가 그 병원 기록을 깼다며?' '나 나았을 때 예뻤어?' 수백 번도 더 했던 이야기를 아이들은 여전히 재미있어한다. 내 어머니와 나의 그 이야기를 도란도란 나눠보지 못한 것이 아쉽다.

"어머니, 내가 처음 태어났을 때, 어땠어요? 예뻤나요? 아주 힘들진 않으셨나요?"

오빠 다섯에 막내딸이었던 나는 발소리, 말소리 교육까지 엄했던 아버지가 무서워 언제나 어머니의 치마폭을 찾았다. 유난스럽게 딸을 챙기진 않으셨지만, 나는 어머니 발소리만 들어도 안심이 되었다. 어머니는 언제나 내 피난처이자 안식처였다. 읍내에 있는 국민학교에 입학하면서 어머니의 품을 떠나 처음으로 세상 구경을 하게 되었다. 읍내는 신기한 것이 정말로 많았다. 빙글빙글 돌아가는 이발소의 표지와 미장원과 영화관 간판을 지나다 보면 눈이 빙글빙글 돌 지경이었다. 학교가 끝나고 돌아올 때, 그 길을 다시 지나올 수 있다는 것이 얼마나 좋았는지 모른다. 대문을 열어젖히며 뛰어 들어와 어머니에게 조잘대며 그 이야기들을 들려주고 싶었다. 하지만 어머니는 늘 바쁘셨고, 흰 앞치마를 두르고 분주하게 움직이는 어머니와 눈 한번 마주치면 그걸로 끝이었다. 나는 아쉬웠다. 가끔은 서러웠다. 어머니도 그러셨을까?

막내딸 결혼시킬 때, 어머니의 심정이 어떠셨을지 너무 궁금하다. 나이 찬 딸이 시집을 가게 되어 마냥 좋으셨을지, 애지중지 키운 고명딸을 보내는 것이 서운하셨을지 아니면 내가 아이들 결혼시킬 때처럼 이것저것 준비하느라 정신이 없어 어떤 감정에 빠질 겨를도 없이 지나셨을지. 내가 떠난 빈방을 보면서 혹시 몰래 눈물을 흘리진 않으셨을지. 결혼을 한 후에도 하루가 멀다고 얼굴을 보고 전화 통화를 하는 딸들을 보면서 내 어머니가 딸과의 추억이 너무 없으셨던 것에 자꾸 서러움이 밀려온다.

첫 아이를 잃고 몸과 마음이 만신창이가 된 딸을 봐야 했던 내 어머니의 심정을 아주 오랜 시간이 흘러서야 돌아볼 수 있었다. 그때는 내가 나를 추스르기도 어려웠으니, 누구를 신경 쓴다는 것이 쉽지 않았다. 35년쯤 흐른 뒤에, 내 딸이 난산으로 아이를 낳은 후 한동안 다리에 마비가 왔을 때, 내 어머니가 생각이 났다. 통증을 이겨내느라 힘들어하는 딸의 곁에서 '괜찮을 거'라며 담담하게 다독였지만, 혹시라도 딸이 내내 걷지 못하게 될까봐, 매 순간이 지옥이었다. 내 어머니도 그러셨겠지? 30리도 더 떨어진 곳에서 힘들어할 딸을 생각하며 내 어머니도 지옥 불길 속에 있으셨겠지? 그 마음을 아는 데 참 긴 시간을 보냈다.

어머니가 참 그리웠지만 결혼하고 그리 자주 찾아뵙지를 못했다. 시댁은 1년에도 몇 번씩 내려가 일주일 이상씩 지내다 오곤 했는데, 바로 지척에 있는 친정을 들려서 오질 못했다. 지금 생각하면 왜 그랬을까 싶지만, 그때는 아쉽다거나 이상하다는 생각조차 못했다. 그러다 어머니가 노환으로 자리에 누우셨다. 어머니가 돌아가실지도 모른다는 오빠의 말에 가슴이 철렁했다. 그렇게 빨리 내 곁을 떠나실 거라고는 생각하지 못했다. 나는 달려 내려갔다.

어머니는 누워 계셨고, 나는 수건을 빨아다 몸 구석구석을 닦아드렸다. 착한 며느리와 아들이 잘해 드렸겠지만, 딸에게 몸을 맡기는 것만큼 마음이 편하진 않으셨나 보다. 어머니는 갓난아이처럼 내게 몸을 맡기시며 '아이고, 참 개운하구나'라고 몇 번이나 말씀하셨다. 그리곤 '애써서 미안하다'고 하셨다. 난 어머니에게 미안함을 느끼게 할 만큼 멀리 있던 딸이구나 싶었다.

'어머니 지금 뭐가 드시고 싶으세요?'라고 물으니 '아주 푹 곤 사골국을 먹고 싶구나'라고 하셨다. 무심했던 난 어머니가 뭐를 좋아하시는지도 모르고 소고기를 사 갔었다. 왜 어머니가 당연히 고기를 좋아하신다고 생각했는지 모르겠다. 서울에 올라오자마자 막내 오빠에게 그 이야기를 했고, 어머니는 오빠가 고아드린 사골국을 돌아가시기 전날까지 드셨다. 막내 오빠는 내 덕에 마지막 효도를 했다고 했고, 나는 다행이다 싶으면서도 공연히 가슴속이 선선했다.

나는 내 어머니의 임종을 보지 못했다. 그리고 나는 시어머니와 시아버지의 임종을 모두 지켰다.

'어머니, 나도 이제 엄마라고 한번 불러보고 싶어요.'
'엄마, 난 왜 그렇게 다정한 딸이 못됐을까요?'
'엄마, 난 왜 엄마의 기쁨이 뭔지 관심을 두지 못했을까요?'
'엄마, 난 왜 엄마의 슬픔이 뭔지 알려고 하지 않았을까요?'
'엄마, 우린 왜 더 많이 이야기 나누지 못했을까요?'
내가 어머니 곁으로 갈 시간이 가까워질수록 더 그립다.
나의 어머니, 나의 엄마.

박성숙

별주부전
백내장
그린델발트

결혼 초 그가 망막 수술을 하고 누워 있을 때 소설 마루타1, 2를 읽어줬던 기억이 났다. 며칠 동안 읽었는데 목이 왜 안 아팠는지 모르겠다. 눕혀놓고 뒤로 머리도 감겨주었다. 그때는 젊었으니까 뭐든 못하겠어. 지금은 늙어서 못한다며 패스한다. 이럴 땐 나이 든 것이 참 편하다. 아직 젊다고 할 때와 이미 늙었다고 들이밀 때는 내 식대로 고무줄 나이가 되어 빠져 나간다.

-백내장-

별주부전

박성숙

　민은 4남매 중 막내다. 위로 누나가 셋이다. 민이 서너 살 때 일이다. 일곱 살 위인 큰 누나는 어느 날 해 질 무렵에 동네 거지 일도가, 놀고 있는 민을 더러운 손으로 만지는 것을 보았다. 깜짝 놀란 누나는 후다닥 뛰어가서 민을 데려왔다. 저 더러운 거지가 뽀얀 동생을 만지게 놔둬서는 안 된다는 생각뿐이었다. 하필, 가게 문틈 사이에 날카로운 유리가 끼어져 있는 것을 보지 못하고 뛰어갔다. 누나의 연한 팔은 껍질이 쓱 벗겨질 정도로 베어버렸다. 다급한 마음에 통증도 느낄 수 없었다. 민을 데려오고 나서 팔이 아파 보았더니 살갗이 벗겨져 뻘겋게 핏물이 올라오고 있었다. 누나는 피를 보자 겁이 덜컥 났다. 민은 아마도 너무 어려서 기억하지 못할 것이다.

　누나의 오른팔에는 그때 상처로 5cm 가량의 기다랗고 울퉁불퉁한 형태의 흉터가 지금도 남아 있다. 그렇지만 누나는 그 흉터가 부끄럽지 않았다. 중고등학교 시절에 여름이면 입었던 반팔 교복 위로 흉터가 도드라져 보여 조금 신경이 쓰였지만 그 정도였다. 큰 누나에게는 정말 별거 아녔다. 그 후 민은 큰 상처 없이 어른으로 성장하였고 결혼하여 두 아들을 얻었다. 부성애가 남다를 정도로 아이들을 애지중지하며 키웠다. 민은 이제

50살을 훌쩍 넘었다. 누나도 이제 내년이면 60살이다.

　12월 크리스마스 연휴에 지인 부부랑 따뜻한 베트남으로 여행을 떠났다. 하루는 운동을 끝낸 후 '이언' 쇼핑몰에 들렀는데 베트남 물가가 얼마나 싼지 부담 없이 신나게 쇼핑할 만했다. 여행을 마치고 집에 도착하여 짐 정리를 하고 빨래도 돌리고 오후에 엄마에게 들렀다. 쇼핑몰서 사온 엄마 겨울모자와 캐슈넛과 말린 망고 등 이것저것 꺼내놓고 한창 여행 애기 중이었다. 엄마 핸드폰이 별안간 요란하게 울렸다. 여동생의 전화인 듯 했다. 통화하는 소리를 들어보니 언니에게 애기했는지 물어보는 소리였다. 엄마는 아직 못 했다고 대답했다. 엄마는 큰딸이 여행에서 돌아오길 기다린 모양이었다. 무슨 애기를 아직 안했다는 건지. 맏이인 큰딸은 벌써부터 걱정이다. 무자식 상팔자라는데 형제들인 경우는 뭐라 해야 할까 싶다. 엄마는 우시면서 제대로 말을 하지 못하셨다. 여동생에게 문제가 생긴 줄 알았는데 그게 아닌 모양이었다.
　"아휴 답답해, 무슨 일이예요?"
　"민에게 큰일이 일어났어. 많이 아프단다."
　그동안 크게 아프다는 말을 못 들었는데 느닷없이 무슨 소리냐며 자세히 애기해 보시라고 하였다. 한 달 전, 동생 민의 간 수치가 급격히 높아져서 입원 중이라 했다. 그동안 간이 거의 망가져서 황달이 오고 복수까지 차서 이식하지 않으면 살길이 없다는 애기였다. 믿기지 않는 소식에 앞이 캄캄했다. 몇 번이나 확인을 했지만 사실이었다. 이걸 어쩌. 큰일도 보통 큰일이 아니었다. 살다가 이런 일도 있구나. 눈물이 줄줄 흘러내렸다.

민이 불쌍해서 어째. 돈 벌어 자식들 키우는 재미에 빠져 제 몸
하나 돌보지 않고 어떻게 이 지경이 될 때까지 몰랐다는 것인지
말이 되지 않았다. 우리에게 알리지도 못하고 얼마나 불안하고
무서웠을까 하는 생각에 자꾸만 눈물이 났다. 정신을 차려야지
넋 놓고 있을 수가 없었다. 민에게 용기를 주어야 했다. 처음으
로, 팔순이 넘은 엄마와 우리 4남매 카톡방을 열었다. '우리 모
두 하나 되어' 민을 위해 기도하고 소통하고 힘을 주기 위해서
였다. 이미 간이식을 받기 위한 검사를 진행하고 있었다. 큰아
들 간은 작아 불가능하고 스물다섯 살인 작은 아들 간이 크고
건강하여 이식 적합 판정을 받은 상태였다. 아들 간이 특별히
커서 30프로만 남기고 떼어서 이식을 해주면 아빠 간의 90프로
크기가 된다고 하였다. 간이식은 다른 장기이식보다 성공률이
높은 편이라 했다. 공여자와 수혜자가 혈액형이 다른데도 1회
이상 혈장교환이 불필요할 만큼 아주 잘 맞는 드문 케이스라며
수술 후에도 좋은 징후라고 의료진들이 좋아한다고 했다. 간을
떼 주는 것은 별주부전과 같은 전래동화에나 나올 법한 먼 나라
얘기쯤으로 여겼는데 형제가 간이식 수술을 하리라고는 생각지
도 못했다. 별주부전은 토끼가 자라의 꾐에 빠져 용궁에 따라
갔다가 중병에 걸린 용왕에게 배를 갈라 간을 꺼내 줄 뻔한 얘
기다. 위험에 처한 토끼는 간을 산속 깊은 곳에 숨겨놓고 왔다
는 거짓말로 용왕을 속이고 간을 가져온다며 자라 등을 타고 바
다를 빠져나와 숲으로 돌아왔다. 토끼가 분수에 맞게 살면 될
것을 용궁에 가면 부귀영화를 누릴 수 있다는 자라의 감언이설
에 넘어가서 하마터면 하나뿐인 간을 떼 주고 죽게 생겼는데 다
행히 꾀를 내어 살 수 있었다.

박성숙

민과 아들은 1월 16일 신촌 연세 세브란스 병원에서 두 명의 간이식 수술 명의에게서 수술을 받았다. 공여자인 아들과 수혜자인 민 모두 수술이 잘되고 경과가 좋았다. 아들은 1월 22일 퇴원했다. 간을 그렇게 많이 떼 주고도 일주일도 안 돼 퇴원하다니 놀라웠다. 민은 3주일 후 2월 7일 퇴원했다. 감개무량했다. 25살 아들 간으로 건강하고 젊어진 몸이 되어 집에 돌아왔다. 민은 스스로 브레이크를 걸지 못해서 간이 망가져서야 멈추게 되었다고 말하며 새끼 간으로 귀한 생명을 얻었으니 건강하게 잘 살겠다고 다짐했다.

얼마 전 어버이날 민의 부부는 엄마에게 다녀갔다. 수술 후 면역억제제를 복용 중인 민이 질병에 노출되어 감염될까 만나지 못한 누나는 건강한 혈색으로 돌아온 민의 모습이 믿기지 않을 정도였다. 수술 후 후유증으로 근육 손실이 심하고 머리카락이 많이 빠졌다. 민의 아내는 민이 먹으면 안 되는 음식을 보게 되면 먹고 싶을까봐 본인도 절대 먹지 않으며 식단을 철저하게 관리했다. 매일 1시간 반 정도 걷는 운동을 하여 몸의 근육도 많이 차올라서 단단해졌다. 이제 한시름 놓았다. 머리숱이 반 이상 줄어든 아빠에게 아들 현이 이렇게 말했다.

"아빠 내 머리카락도 줄 테니까 걱정하지 마!"

백내장

'홍'은 36년 동안 한 직장을 다니고 정년퇴직을 하였다. 실업급여를 받으며 좀 쉴 법도 하건만 준비했던 대로 바로 경제활동을 시작하였다. 일주일에 두 번 출근하고 나머지는 프리랜서로 기술자문을 하며 자신의 역량을 제대로 발휘하였다. 시간을 자유롭게 쓰면서 워라밸(Work-life balance)의 삶을 즐겼다. 퇴직 후 오히려 잘 나가는 그의 모습을 보면 지금이야말로 '홍'의 전성시대 같았다. 그동안 성실한 축적의 시간이 있었기에 가능한 일이다.

하지만 그의 육체는 노화가 진행 중이었다. 어느 누구도 노화를 피해갈 수는 없을 것이다. 그는 지난 건강검진 때 백내장 진단을 받았다. 백내장은 보통 눈의 노화로 오는 것으로 시야가 안개 낀 것처럼 뿌옇고 시력이 떨어진다. 초기에는 그냥 지내다 심해져서 일상생활에 지장이 생기면 수술을 받는 것으로 알려져 있다.

그는 결혼식을 올리고 신혼여행도 못가고 서울대학교병원에서 한쪽 눈의 망막박리수술을 받았었다. 몇 년 후 다른 쪽 눈도 마저 수술했다. 그 당시 새댁에게는 청천 벽력같은 일이었다. 조금 불편한 애기, 자잘한 불평을 안 하는 그의 성격 덕분에 나는 삼십 년이 넘도록 수술한 눈에 대해 잊어버리고 무감각하게 살

박성숙

아왔다.

그런데 2, 3년 전부터 시력이 많이 떨어져 안경도수를 해마다 바꿔야 했다. 노안 탓이려니 여겼다. 핸드폰 보는 것을 자제했으면 싶었지만 어쩔 수 없었다. 하기야 눈이 나쁜데도 넷플릭스 시청을 많이 하는 나도 문제였다. 하지만 도둑놈도 제 자식에게는 도둑질하지 말라고 한다. 그의 핸드폰 보는 것을 말려보기도 했다. 심하게 얘기했다간 싸우기 십상이었다. 그는 아무래도 시력이 급격히 나빠진 것이 백내장 때문인 것 같다며 수술을 하려고 했다.

망막박리수술 이후 지속적으로 다녔던 서울대병원에 정기 검진을 가더니 백내장 수술 일정을 잡아왔다. 오른쪽 눈을 먼저하고 1, 2개월 후 왼쪽을 하기로 했다. 망막수술을 한 후에도 시력교정이 안 되는 눈을 또 수술한다니 나는 그 결과가 걱정이 되었다. 60대 초반이고 백내장도 심하지 않으니 좀 미루자 해도 본인이 수술할 의지가 강했다.

백내장 수술은 간단하여 개인 안과병원에서는 혼자 다녀오기도 한다던데 대학병원이라 그런지 오후 1시 입원인데 새벽 6시부터 물도 금식이었다. 보호자까지 코로나 음성 확인서까지 필요했다. 당일 입원 접수하고 수술하는 것이었다. 수술에 대한 설명을 듣고 눈에 산동제를 몇 차례 넣은 뒤 동공이 충분히 확장되자 병상에 누워서 2층 수술실로 옮겨졌다.

그동안 나는 식당이 있는 지하로 내려가 점심을 먹을 참이었다. 오랜만에 온 병원은 많이 변해있었다. 푸드코트 외에 옷이랑 모자 등을 파는 작은 잡화점도 있었다. 베이지 컬러의 명품

짝통 스웨터에 눈이 갔다. 블랙 바지를 매치해 입는다면 예쁠 거라 생각하다 먼저 식사를 하러 갔다. 파스쿠찌 카페에서 파니니를 먹고 커피를 마시면 좋겠는데 자리가 없어서 한식당에서 고등어 순두부 정식을 먹었다. 반찬이 집보다 더 골고루여서 식사를 제대로 했다.

'홍님은 수술이 종료되고 회복실에 도착하셨습니다.'

보호자인 내 핸드폰으로 문자가 왔다. 빠르기도 했다. 수술은 30분도 채 걸리지 않았다. 급히 잡화점에 갔더니 봐뒀던 옷이 그새 팔려버렸다. 잠깐 실망했지만 병원에서 쇼핑할 여유라니 나도 참 심하다 싶었다. 그는 30분 후 병실로 이동하여 안정을 취하였다. 백내장 수술 후의 설명을 듣고 퇴원하였다.

1주일 동안 눈에 물이 들어가면 안 된다. 감염이 위험하여 1일 4회 두 가지 안약을 넣어야 한다. 거즈는 낼 아침까지만 하고 그 후 한 달 동안 보호 안경을 착용한다. 인공수정체가 자리 잡을 동안 주의해야 한다. 눈알을 무리해서 돌리면 안 된다. 안약을 넣으면서 위 눈꺼풀을 누르지 않는다. 눈이 피곤하면 안 된다. 고개를 숙이거나 허리를 굽히면 안압이 올라갈 수 있다. 사고위험이 있으니 운전은 2주 후부터 가능하다. 주의할 것이 상당히 많았다. 금식이 끝나고 6시부터 식사를 할 수 있었다.

결혼 초 그가 망막수술을 하고 누워 있을 때 소설 마루타1, 2를 읽어줬던 기억이 났다. 며칠 동안 읽었는데 목이 안 아팠는지 모르겠다. 눕혀놓고 뒤로 머리도 감겨주었다. 그때는 젊었으니까 뭐든 못하겠어. 지금은 늙어서 못한다며 패스한다. 이럴 땐 나이 든 것이 참 편하다. 아직 젊다고 할 때와 이미 늙었다고 들이댈 때는 내 식대로 고무줄 나이가 되어 빠져 나간다.

　이번 수술 후에는 네이버 뉴스를 읽고 간간이 흥미 있는 기사만 애기해줬다. 대신 핸드폰의 유튜브를 틀어놓고 보지 말고 듣기만 하라고 강조했다. 안약 넣는 방법까지 구구절절 반복 애기하려니 여간 귀찮은 게 아니다. 전에는 몰랐는데 이 남자 늙으니 손이 많이 간다. 에고, 어린 자식은 귀엽기라도 하지. 잘 때 보호 안경 안 쓸까봐 감시하고 화장실 갈 때도 눈에 물 튀길까 열어봐야 한다. 무엇보다 머리 감기가 큰일이었는데 쉽게 해결했다. 미용실 가서 감는 방법이 있었다. 처음에는 머뭇거리던 이 남자, 한번 다녀오더니 만원내고 머리 감았는데 너무 시원하고 잘 말려주어서 좋았단다. 이젠 미용실 머리 감기를 즐기는 것 같다. 그동안 내가 집안일을 전담했더니 결국 몸살이 났다. 그가 해줄 땐 편한 줄도 몰랐는데 뒤늦게 알았다.

　수술 다음날, 내가 근무하는 날이라 홍은 보호자 없이 진료를 받으러 병원에 가야 했다. 불편한 눈으로 불편한 기색 없이 지하철을 갈아타면서 다녀왔다. 늘 묵묵히 자신의 자리를 지키며 축적의 시간을 가진 사람, 백내장 수술을 하여 한층 밝아진 눈을 가진 홍!

　그의 전성시대는 여전할 것 같다.

그린델발트

드디어 취리히 공항에 도착했다. 인천공항에서 비행기 이륙이 늦어져서 13시간 이상 걸렸다. 한국은 이미 자정이 지났지만 스위스 시간은 아직 토요일 오후 6시가 넘었다. 7시간을 번 셈이다. 긴 비행 후 바로 인터라켄으로 이동하면 힘들 것 같아서 기차로 10분 거리의 취리히 중앙역에 내려서 예약해 둔 호텔로 걸어갔다. 리마트강을 따라 걸었다. 날씨도 쾌청하고 바람도 시원하여 여행의 설렘이 시작되었다. 숙소에 짐을 넣은 후 동네에서 저녁을 먹었다. 밤 10시나 돼야 해가 지는 곳인데 스위스 첫날을 이대로 숙소에 돌아갈 수 없었다. 일생에 한번 또 올까 싶은 스위스인데 말이다. 계획을 세워 둔 딸의 안내로 취리히 구시가지 언덕 위에 있는 린덴호프에 올라가서 야경을 보았다. 여행 첫날의 기분을 만끽하며 걸어서 갈 수 있는 곳이었다. 에메랄드 빛깔의 강물과 풍경은 발길을 붙잡았다. 우리의 특기인 사진 찍기가 빛을 발했다. 언제 어디서나 포토제닉한 가족들. 티격태격하다가도 포토 존 앞에서는 금방 다정다감한 미소천사가 된다.

스위스 여행은 기차와 함께하는 여행이었다. 스위스 패스를 구입하면 스위스 대부분의 교통망을 무료로 이용할 수 있다. 엄

박성숙

청난 교통비를 절감할 수 있는 수단이다. 또한 스위스 내 유적지나 박물관에도 무료입장이 가능하다. 기차와 버스 그리고 여객선도 무료 이용할 수 있다. 인터라켄 웨스트지역 호텔에서 3박을 하며 기차로 2시간 남짓 거리의 지역을 돌아다녔다. 베른 대성당에 들어가 촛불을 켜면서 나는 감사함으로 가득했다. 베른의 저 높은 시계탑은 또 얼마나 멋졌던지. 도시를 따라 흐르는 아레 강의 오묘한 푸른빛은 너무나 매혹적이었다. 루체른의 카펠교도 아름다운 강과 함께였다. 몽트뢰에서 여객선을 타고 시용성에 가서 성안에 들어갔다. 시용성은 스위스를 대표하는 중세 건축물로 감옥으로 사용된 흔적이 남아 있었다. 내부가 굉장히 깊고 넓었다. 쇠창살 사이로 호수의 푸른 물이 넘실거렸다. 무서운 생각이 들었다. 꼭대기까지 가 보지도 않고 와인 '샤또 드 시용' 두 병 한 세트를 사서 시용성을 나왔다.

호텔로 돌아오는 길에 동네 사람처럼 어슬렁거리며 깊숙이 들어갔다. 길을 잘못 들어왔나 싶은 곳에 스위스 가정식 레스토랑이 있었다. 간간이 비가 내리고 날이 어둑해져서 저녁을 먹으러 들어갔다. 레스토랑에는 꽤 사람이 많았다. 스위스식 감자전인 뢰스티와 육류요리인 슈니첼을 시켰다. 정말 먹어보고 싶었던 치즈 퐁듀에 빵을 찍어 먹었다. 쭉쭉 늘어나는 퐁듀를 제대로 맛볼 수 있었다. 우리는 흥이 나서 치어스! 쨍! 잔을 부딪치며 스위스 맥주를 마셨다. 인터라켄에서 그린델발트로 떠나는 날, 호텔에 짐을 맡기고 산악마을 체르마트행 기타를 탔다. 와우, 기온이 많이 낮았다. 긴팔을 껴입었는데도 상당히 추웠다. 마을 위쪽으로 올라갈수록 날씨가 좋아지면서 점점 추위가 물러났다.

멀리 보이는 설산과 집들이 정말 아름다웠다.

집 앞에 텃밭인 듯 정원인 듯 꽃이랑 야채를 같이 가꾸고 있었다. 알프스의 꽃들 속에 섞여 있는 상추를 보는 마음. 스위스에서 자주 보게 되는 무궁화. 가슴이 몽글몽글해졌다. 타국에서 고향을 떠올리는 것. 뭐라도 비슷하고 같은 것을 찾게 된다. 그 마음에 인터라켄서 먹은 한식의 맛이라니! 이건 아닌 맛이었다. 우린 매운 음식을 좋아하지 않아서 그럴까. 입맛에 맞지 않았다. 시고 맵기만 한 김치찌개와 매운 순두부, 그냥 맛인 제육볶음. 해외에서 한식 찾지 않는데 어쩌다 비싸도 너무 비싼 스위스에서 먹다니. 그래도 보랏빛 꽃들이 아름다움은 여전했다. 식당 옆에 흐르는 에메랄드빛 강물은 환상적이었다. 그럼 되었다. 사진은 아름다움만 기록되었다. 체르마트에서의 레스토랑은 확실한 맛이었다. 음음 맛있어 소리가 저절로 나오는 집이었다. 프렌치토스트와 아보카도 에그, 베이컨. 연어와 레몬소스 브레드, 스윗 포테이토. 모든 음식이 맛있었다. 주문한 크로와상 대신 실수로 나온 도넛크림 디저트까지도 맛있었다.

인터라켄 웨스트에서 3박 후 그린델발트로 향했다. 그린델발트역에서 캐리어를 끌고 야생화 천지인 길을 10분 정도 걸어서 숙소에 갔다. 1904년부터 3대째 하는 호텔 벨베데레를 예약해뒀다. 우리의 가이드 희수를 앞세우고 우리 부부는 뒷전에서 여유만만하게 기다렸다. 그런데 예상외로 체크인 수속이 지체되었다. 가까이 가서 들어보니 캔슬이 들린다. 캔슬이라고? 무슨 소리야? 순간 난감해져서 딸에게 물어보니 우리 방 예약이 최소 됐다고 한다. 딸은 뽑아온 확정서를 내밀었지만 직원은 아이 돈 노를 연발한다. 결국 어떻게 됐나 보니 카드 승인이 안 되어서 취소된 모양이었다. 희수의 물기 머금은 눈동자의 절박함을 느꼈는지 스위트룸 하나 남았다고 했다. 저녁에 다른데 알아볼 수도 없고 일박하고 다른 곳으로 옮겨야 할 듯 했다. 그 와중에 중동 사람 같은 남녀 한 쌍이 들어와 룸이 있는지 물어본다. 잠깐 기다리라는 눈치였다. 우리가 스위트룸에서 자겠다고 결정했더니 직원은 잠시 나갔다 오더니 스위트룸 하룻밤과 뷰가 다른 가든 뷰 룸에서 이틀 잘 수 있다고 했다. 우리가 원래 예약했던 아이거북벽 뷰의 일반룸이 없다는 얘기였다. 상관없었다.

그런데 좀 전의 중동 남자가 기다리라고 해 놓고 왜 방이 없냐고 따진다. 그들의 방이 될 수도 있었는데 우리가 한발 빨랐다. 큰일 날 뻔했다. 실수로 스위트룸이라니, 어차피 벌어진 일 즐길 일만 남았다. 스위트룸에서 보이는 아이거북벽은 정말 웅장하고 아름다웠다. 산 아래 마을 풍경은 화가 모지스 할머니의 그림 그대로였다. 아이거북벽 뷰는 비현실적이었다. 현실감 제로였다. 상쾌한 공기는 말할 것도 없고 와와! 소리가 마구 나왔다. 스위트룸에는 티비 3개 세면대 3개 심지어 실내화도 제대로 고급졌다. 냉장고에는 많은 서비스 상품이 쟁여있었다.

드디어! 이번 여행의 최대 목적지인 융프라우로 간다. 두툼하게 입고 패딩도 챙기고 스카프도 두르고 그린델발트 터미널로 갔다. 이미 관객들이 많았다. 표를 구입하기 위해 단체와 개인으로 나누어 대기표를 뽑고 기다렸다. 친절하게도 전광판에 30분 정도 기다린다고 안내하고 있다. 1인당 145프랑이다. 우리 돈으로 환산하면 20만원이 넘는다. 비싸다. 그것도 스위스 패스가 있어서 할인된 금액이었다. 어쩔 수 없다면 충분히 즐기리라 맘먹었다. 먼저 곤돌라를 타고 아이거글렛쳐에 가서 환승하여 열차를 타고 융프라우로 갈 수 있었다. 곤돌라가 컸고 뷰가 장난 아니게 멋져서 생각보다 무섭지 않았다. 개와 아이들이 있는 독일인 가족과 함께 탔는데 개가 바닥에 엎드려 아주 태평하였다. 후후, 겁쟁이가 나보다 낫다. 15분 정도 곤돌라를 타고 아래에 펼쳐지는 예쁜 스위스 마을과 자연을 감상하며 아이거글렛쳐에 도착해서, 빨간색의 산악열차로 갈아타고 30분 정도 갔더니 융프라우에 도착했다. 얼음을 깎고 다듬어 만들어진 얼음동굴을 통과 후 미끄러질까 조심하며 올라갔다. 커다란 설산들이 보이고 새하얀 눈이 쌓인 전망대가 나타났다. 감동이었다. 확연하게 기온이 달랐다. 7월 여름에 스키장에 온 것 같았다.

　우리의 목적지인 융프라우요흐에는 우리를 반기는 듯 스위스 국기가 바람에 펄럭이고 있었다. 해발 4,000미터 가까이 올라갔지만 우리 셋 모두 걱정했던 고산병 증상이 없었다. 준비해 갔던 고산병 약과 비아그라가 필요 없어졌다. 하지만 우리의 등정은 끝이 아니었다. 스위스 국기를 붙잡고 인증 샷을 꼭 찍어야 했다. 바람이 강하게 불어 체감 온도는 더 낮은 곳에서 줄을 서서 기다렸다. 그는 이 고생을 꼭 해야 하냐며 투덜거렸다. 딸이 하자는데 어쩔 거야, 기다려야지. 나도 춥고 귀가 시렸지만 그의 얇은 옷을 생각하면 참아야 했다. 우리 뒤에는 아이와 함께 온 한국인 부부였다. 아이도 추위를 잘 견디고 있었다. 조금만, 조금만 견디자. 덜덜 떨며 1시간 넘게 기다렸다. 차례가 되어 빨간 스위스 국기를 잡고서 인증 샷을 찍었더니 힘든 시간이 그냥 사라졌다. 융프라우를 정복한 기분이 들어 기다린 보람이 있었다. 가져간 오렌지 컬러스카프를 휘날리며 자유롭게 사진을 찍고, 뛰면서 날아오를 듯 사진에 환장한 것처럼 찍었다. 다시 못 올 것 같은 아쉬움이었다. 남는 건 사진뿐 내 기억은 안타깝게 사라져 버릴 것이다. 1층에 내려와 융프라우패스에 포함된 쿠폰으로 신라면을 후루룩 맛있게 먹고 설산을 배경으로 찍은 인증 샷은 보너스였다. 융프라우에서 신라면을 먹다니. 한국인들이 만든 신라면 문화 대단하다.

호텔에 돌아와서 추위에 떨었던 몸을 수영장 따뜻한 자쿠지에 녹였다. 또 다른 즐거움이었다. 우리 부부뿐이라면 안하고 넘어갔을 것을 젊은 회수 덕분에 충분히 즐기는 여행이었다. 수영장에서 나와 융프라우 갈 때 곤돌라 아래로 내려다 봤던 마을에 버스를 타고 올라갔다. 저녁 식사 후 천천히 걸어서 내려오기로 하였다. 레스토랑 아래쪽 마을 뷰가 그야말로 평화롭고 환상이었다. 치즈 덩어리를 불에 녹여 만든 라끌렛과 빵에 감자와 베이컨, 소세지를 곁들여 먹을 수 있었다. 지금까지 스위스 여행 중 먹었던 가장 맛있는 스위스 전통 음식이었다. 스위스 사람들은 집에 퐁듀 냄비와 라끌렛 기계는 하나씩 필수로 있다고 한다.

문장을 네이버 메모에 녹음하며 걸었다. 살고 싶다. 깨끗한 햇볕. 말도 안 돼. 예뻐서 미치겠어. 떠나기 싫어. 길을 걸으며 야생화를 보며 파란 들판을 보며 재즈 음악을 들으며 우리 셋은 길동무를 하며 즐거운 행진을 한다. 넓고 넓은 푸른 초원의 야생화 들판이다. 하얗고 노랗고 미치도록 예쁜 보랏빛 꽃들의 향연이다. 이 길들의 아름다움을 말로 표현할 수 없는 나는 너무 늙었나 봐. 이제 단어도 문장도 잘 생각이 나질 않아. 설산 아래 야생화 천지 꽃밭을 푸른 들판을 무엇으로 표현할 수 있을 것인가. 우리 머리 위로 사람을 태우지 않은 곤돌라가 쓸쓸히 오르락내리락하고 있다. 나는 너무 즐겁다. 눈물이 날 정도로 행복하다. 스위스에 한번 오는 것은 그냥 오는 것이고 두 번째 오는 사람들은 부자라고 한다. 나도 스위스를 두 번 오는 부자이고 싶다. 네이버 녹음기가 스위스를 섹스로 알아듣고 섹스를 두 번 오는 부자로 입력했다. 너무 웃겨서 걷다가 허리를 못 펴고 깔깔댔다. 걷기만 해도 멋진 그림이다. 그린델발트 마을을 쉬엄쉬엄, 느릿느릿 걸어서 내려간다. 이게 진정 여행의 참맛인 듯하다.

이제는 스위스와 헤어져야 할 시간. 슬프다. 급할 게 없고 편안한 그림 같은 이곳. 살고 싶은 곳. 돌아가기 싫어. 하지만 현실의 두 발은 호텔을 떠나 그린델발트 역으로 향하고 있다. 10시 18분 인터라켄 오스트로 가서 갈아타고 1시15분 취리히에 도착. 기차에 한숨자고 동생이 목소리 듣고 싶다고 톡을 해서 페이스톡으로 영상 통화했다. 취리히 도착. 화장실을 찾았는데 동전을 넣는 유료다. 밖으로 나갔더니 비가 상당히 내린다. 시간이 많이 남아 식사도 할 겸 카페에 갔더니 화장실이 없다. 어떡하지. 앗! 버거킹이 보인다. 비번을 풀어 놓은 화장실이 있었다. 버거킹 세트 스위스에디션을 키오스크로 주문했다. 버거킹 세트 정말 비싸다. 20프랑 즉 3만 원 정도다. 햄버거, 소량의 어니언 링과 에이드 음료 하나다. 무조건 맛있게 먹기다. 스위스에서 햄버거를 자주 먹는다. 첫날 숙소 근처 버거집은 스윗포테이토칩이 맛났다. 패티는 그럭저럭. 루체른 역에서 버거 맛집의 햄버거는 대박 맛있었다. 라스베가스 고든램지 이후 최고였다. 그린델발트 호텔 벨베데레에서 룸서비스로 시킨 햄버거도 먹을 만했다. 스위스 버거킹 햄버거도 맛있었다. 패티가 두껍고 역시나 고기 맛이 신선하고 부드러웠다. 햄버거를 이렇게 좋아하지 않았는데 스위스에서 먹어 본 햄버거는 내 입맛이다.

　스위스 취리히에서 인천공항에 도착했다. 스위스 대자연의 아름다움에 취해 시간을 잊고 살았던 일주일이었다. 공항에서 집까지 별로 막히지 않았다. 스위스에서 집으로 순간 이동한 기분이었다. 늘 하던 일과 익숙했던 공간이 뭐가 뭔지 낯설다. 급하게 일주일치 3인분의 저장된 빨래를 이틀 동안 세탁기로 돌리고 건조까지 했더니 내 집에 좀 적응이 되었다.